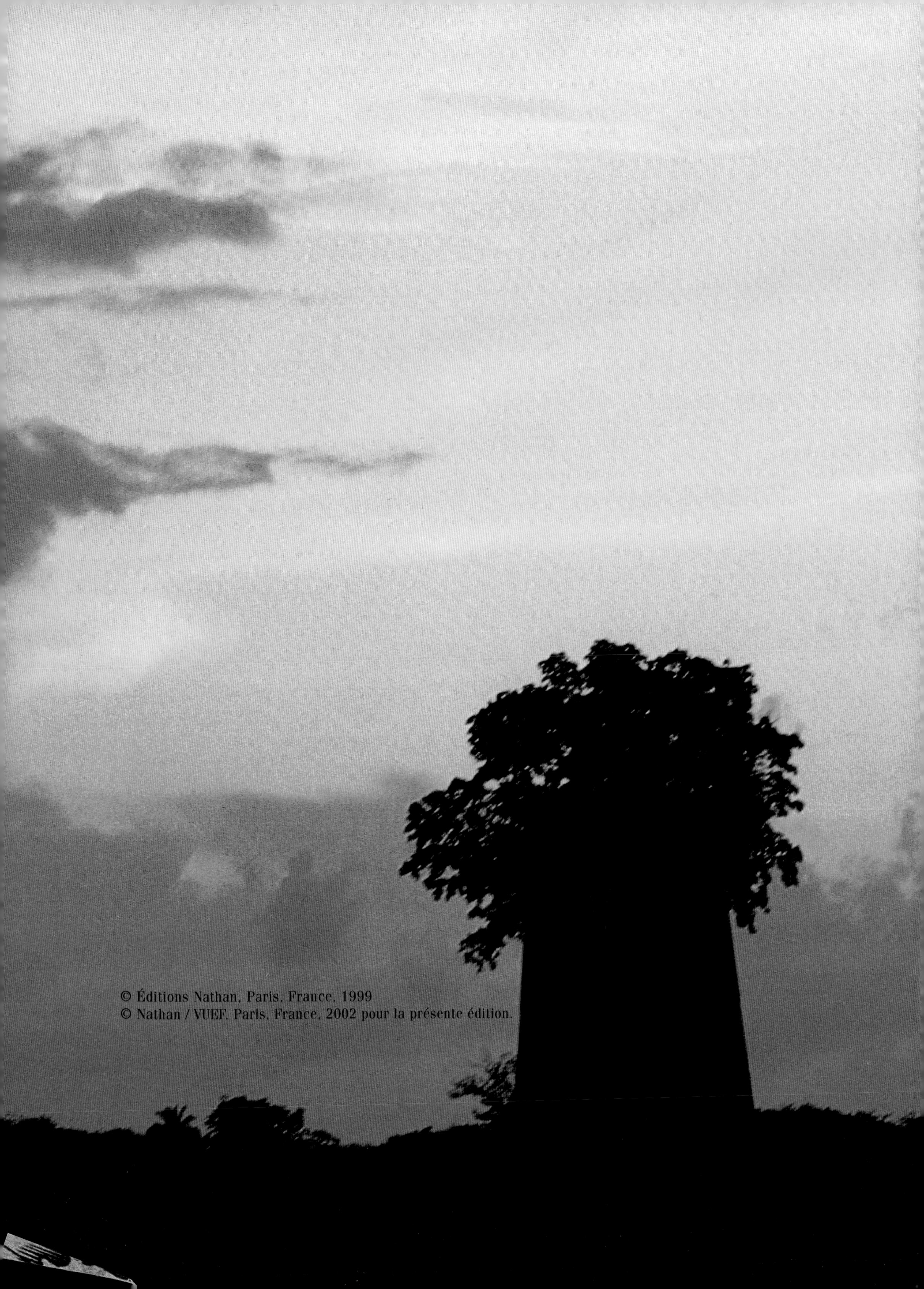

ÎLES

COLLECTION DIRIGÉE PAR

Philippe BEUZEN

archipel
GUADELOUPE

Marie ABRAHAM

Préface de Gisèle Pineau

Jean-Michel Barrault
(croisière)
Anne-Sophie Bourhis-Pozzoli
(plongée)

Illustrations de Lizzie Napoli

NATHAN

SOMMAIRE

P R É F A C E

Guadeloupe, Karukera, île aux Belles-Eaux…
Guadeloupe, Karukera, île…
Karukera, île…
Île…

Il suffit de dire, d'entendre ce mot, île, et aussitôt, des visions d'un paradis terrestre emplissent les yeux. En ce paradis-là soufflent les alizés, des femmes marchent en ondulant les hanches, traînent le pas, portant sur la tête des paniers débordant de fruits colorés, irréels, sortis du pinceau d'un artiste naïf. Des hamacs languissent dessous des vérandas rayées d'ombre et de soleil. Des chapeaux, panamas ou blancs casques coloniaux, voisinent des toiles madras. Des vieux-corps tassés dans leurs berceuses balancent la tête au souvenir de diablesses et de soucougnans croisés antan un soir de bal. Des cases en bois et tôles barrent le vent, serrent la misère, s'ouvrent et se ferment selon la destinée.

Île Guadeloupe

Paroles de cartes postales : soleil. Plages. Des étendues. Sable blanc, mer chaude, cocotiers. *PS :* Poissons, langoustes et coquillages à volonté.

Il suffit de la désirer autrement, cette île. Non pas avec des songes d'orpailleurs d'un paradis perdu, des pensées de hardis découvreurs, de conquérants marris. Non pas en vue d'une vorace et cruelle possession.

Se libérer de la soif des premiers navigateurs, décrocher les idées d'or et de conquêtes, les envies de tout connaître, l'espérance de tout comprendre en deux-trois jours dessous ce soleil-là des Antilles.

Il suffit de laisser seulement le pays-Guadeloupe apparaître de lui-même, sans forcer. L'accoster en toute humilité, poser le pied en politesse, ouvrir les yeux en amitié et puis offrir son cœur en amour.

Autrefois, j'ai longtemps rêvé mon île-Guadeloupe. Elle fut pour moi colorée par l'exil, habillée de nostalgie, réinventée par la faute des étendues de mer, des longueurs de temps. Cette soif immense d'un paradis terrestre…

Le pays créole s'est dévoilé, se dévoilera tout autre, peu à peu, en grande délicatesse, ôtant ses masques pour offrir ses mille visages et ses mirages. Ni paradis, ni enfer, il est là, blessé par son histoire, marqué aujourd'hui par ce temps d'hier où l'esclavage faisait florès en toute légalité. Maîtres blancs régnant sur leurs habitations et puis nègres suant dans les champs de canne à sucre. Et le désir de posséder ces corps de femmes noires. L'envie d'entrer dans ces chairs inconnues comme on s'immisce dans le mystère d'une sombre mangrove, comme on pénètre les grands bois qui cerclent la Soufrière. Pays de races mêlées par la force, la haine et l'amour, mêlées avec d'autres encore, arrivés plus tard d'Orient et d'Occident, ajoutant leurs chairs et leurs sangs à la chair et au sang du pays.

Il suffit d'écouter battre le cœur de ce pays-Guadeloupe. Un cœur comme un *ka* frappé dans une nuit de lewoz qui tonne et résonne et caresse la nuque et la peau du ventre et chevauche les grandes ailes des esprits de minuit. Un cœur qui s'éprend et se dérobe selon le voyageur. Un pays d'humeurs et de passions, tourmenté et impétueux, jeune et vieux à la fois, fier et inquiet, empesé et léger. Un pays déposé parmi d'autres au milieu de l'arc caraïbe qui parle anglais, créole, espagnol et français, et injurie les cyclones de septembre. Et celui qui veut bien écouter et tirer quelques mots déchirés dessous les coups de vent comprendra que ce pays-Guadeloupe est là, tel qu'en lui-même, à cause des rêves de paradis qu'ont faits, que font, toujours et encore, les hommes et les femmes de ce monde.

Gisèle Pineau

L'ARCHIPEL GUADELOUPE

Au temps des traversées aventureuses, des abordages en terres inconnues, au temps où les navigateurs bourlinguaient pour mettre le cap sur la fortune légendaire des pays d'Eldorado, on appelait « isles de l'Amérique » , « Indes occidentales » cette guirlande d'îles fabuleuses déployées en éventail entre mer Caraïbe et océan Atlantique... Mais, si la dénomination des premiers découvreurs a changé, sous le tropique du Cancer, un arc tendu sur l'eau turquoise – les Antilles – continue à vibrer en de farouches écartèlements. Les Antilles : la plus grande baie intérieure du monde, du Nouveau Monde et de l'Ancien, une chaîne instable, un chapelet d'îles sorti des profondeurs abyssales en tir groupé. Encerclé de toutes parts par l'azur, épinglé par la mer Caraïbe dont il réfléchit la clarté et la transparence, l'arc antillais dessine sa courbure souvent volcanique de la côte du Venezuela, face au Yucatán mexicain, à la pointe de Cuba, sous le regard de la Floride.

Tropicale est sa nature, tropicale est son essence, imprimées dans l'or des sables et le bleu des lagons comme dans l'exceptionnelle violence des ouragans et les frémissements tremblés de la terre. La luxuriance des forêts épaisses et vernissées, les couleurs de feu des anthuriums et des oiseaux de paradis, la saveur des sapotilles et des pommes cythères, toutes dans leur éclat de vie, se réclament de ce climat où la saison des pluies improvise des variations extrêmes. Pendant l'hivernage, période de touffeur et d'humidité, la nature devient une immense serre moite et luisante, et des vents aveugles et fous peuvent se déchaîner en ouragans. Alors les Antilles, magiques dans la sécheresse du carême, sous le soleil du paradis, parlent d'effroi quand un cyclone bouleverse en quelques heures l'ordre édénique... Et le monde en palmes, balayé, devient larmes... Jusqu'aux caresses nouvelles de l'alizé.

DANS L'ARC ANTILLAIS

Dans l'ultime courbure de ces îles de lumière, sans aube ni crépuscule, où le soleil se lève triomphal pour s'abîmer abruptement dans le concert-mélopée des bruits de la nuit tropicale, il est un cœur fusionnel où convergent les mille visages des Antilles. Entre le velours moiré de la forêt de la pluie, l'aridité écailleuse de la savane et des fonds marins escarpés comme des canyons, la Guadeloupe décline toutes les images possibles de l'univers caraïbe. Sous l'aile géante de Cuba, d'Haïti, de la Jamaïque et de Porto Rico qui composent l'ample mosaïque des Grandes Antilles, la Guadeloupe impose son propre archipel de différences, une constellation d'îles, un archipel unique : La Désirade, Marie-Galante, les Saintes, Saint-Barthélemy, Saint-Martin, au centre de l'arc caribéen des Petites Antilles.

Unique, l'archipel Guadeloupe l'est aussi par les maillons singuliers qui ont forgé son histoire. La colonisation des Européens, l'arrivée des engagés, le génocide des Indiens Caraïbes, la traite des Africains, la révolte des nègres marrons, la migration des Indiens de Calcutta ou de Bombay... ces hasards et ces drames ont écrit un grand volume qui consigne tous les espoirs, les ambiguïtés et les déchirements de l'identité antillaise. Le présent caraïbe en porte encore les traces. C'est à la consultation de cette histoire que cet Archipel Guadeloupe vous convie, comme un livre ouvert sur les « French West Indies ». L'héroïne en est une île : la Guadeloupe, noyée entre émeraude et azur, entre Atlantique tropical et mer Caraïbe, une île dont l'espace physique et humain dessine un fabuleux paysage où se réfléchissent les traditions, les mythes et les rêves créoles.

Marie Abraham

*Ancrée entre le ciel et l'eau, l'île tropicale déploie toujours sur un écran turquoise
ses mirages paradisiaques. Mais, s'il est vrai que les lagons fixent des pastels dilués dans
les camaïeux du bleu, l'esprit du volcan qui souffle sur l'archipel caraïbe bouscule
la palette des couleurs. Martinique, Dominique, Guadeloupe… doivent aux massifs forestiers
qui les habitent les variations fortes d'une gamme de verts où se reflètent les caprices de
la lumière et du vent. Dans ces sombres profondeurs, l'eau cascade en rivières et conjugue
son cristal aux versions marines des littoraux. Sur ces amarres essentielles offertes par
la Soufrière, les habitants ont fixé leurs premiers carbets avant que les intérêts ordinaires
de l'expansion européenne colonisent la diversité des terres née des fractures du relief.*

Fresque murale, habitation Gardel en Grande-Terre.
Collection privée.

LA GUADELOUPE DES DÉCOUVREURS

LE MONDE DES FORÊTS

Les archives officielles recensent au moins six crises éruptives depuis la colonisation mais dans l'imaginaire antillais sommeille toujours un volcan…
Au terme d'une ascension où la savane altimontaine succède à la forêt dense humide, le panorama sur l'archipel est unique pour peu que « la Vieille Dame » accepte de découvrir la couronne de nuages qui coiffe le dôme du volcan.

Page de droite. Arbre du voyageur : providence du voyageur assoiffé qui trouvait dans le creux de son large éventail de feuilles une réserve d'eau de pluie, le ravenala, ou « arbre de vie », originaire de Madagascar, déploie ses hautes palmes sur la terre antillaise.

Naissance d'une branche de fougère arborescente.

La personnalité des Antilles s'écrit en double… Aux plaines basses et karstiques de la Grande-Terre tapissées d'essences aquatiques en bordure littorale, couvertes aussi d'une forêt sèche, riche en arbustes, taillis et fourrés épineux, répondent les crêtes étroites de la Basse-Terre péléenne : un volcan sur la mer, une forêt tropicale arrimée à ses flancs. Fascinés par le généreux chaos d'une terre tourmentée et fertile, les découvreurs consignent volontiers dans leurs chroniques de voyage ces impressions majeures d'un monde aux allures de paradis vert où le cristal de l'eau court sous les feuilles. Mais si cette image d'« îles plus vertes que le songe », louées par le poète Saint-John Perse, s'incarne dans la réalité du massif montagneux de la Basse-Terre, d'autres forêts, moins spectaculaires, moins denses, parlent pourtant à l'imaginaire du voyageur.

MARGES ET VARIATIONS DES IMAGES TROPICALES

Passé le rideau arbustif où des plantes épaisses et grasses, des lianes rampantes, des arbrisseaux aux floraisons timides luttent contre le vent et le sel, la forêt littorale veille sur les sables de l'archipel. Raisiniers bord-de-mer, tamarins, kalfatas ourlent l'émeraude marine et occupent la partie la plus élevée de la plage. Dans leur pharmacopée créole, les Antillais conservent la mémoire des vertus médicinales de ces arbres. Infusion, décoction des feuilles ou de l'écorce, voire des racines, participent d'une connaissance de la nature qui les éloignera du toxique mancenillier des sols sableux. Des herbes aux noms riches de la poésie et des images du créole occupent aussi le littoral : les *zeb soley* qui tapissent les sous-bois.

Dans la commune rurale de Goyave, les terres ocre irriguées par la rivière à Goyaves conservent leur vocation agricole.

Dans la forêt humide, l'acomat grandes-feuilles élance son tronc à l'écorce rugueuse ancré sur de larges contreforts.

quadrillent l'espace, manifestent la rareté de l'eau et confèrent à la nature une aride beauté où, de place en place, les taches jaunes de l'acacia sauvage ou mauves du *ti bom* éclairent les taillis. Dans ces régions encore, les rameaux épineux du campêche se consument lentement, selon des techniques de brûlage ancestrales, en des feux qui procurent le charbon de bois. Ils évoquent l'époque des grandes traversées, ce temps où les transatlantiques emportaient dans leurs cales le campêche pour fabriquer des colorants en métropole. Dans ce pays de bois secs, les grappes jaunes de l'aloès se rencontrent aussi et, sous la caresse de l'alizé, les ondulations vert argenté de la canne apaisent le regard comme une mer vivante. Au faîte des anciens moulins en ruine, les figuiers maudits projettent leurs ombres étranges, souvenir nostalgique et blessé du monde des *sucrottes*... L'uniformité des paysages se brise aussi sur le poirier-pays, qui laisse sous son tronc rouge des parterres de fleurs pâles. D'autres beaux arbres comme le cajou, à l'amande fraîche, ou le latanier, aux palmes en éventail, dressent leurs guirlandes de feuillage. Disséminés dans des bosquets de verdure ou sur les bords des chemins blancs, les flamboyants ravivent la nature de leurs feux. Dans cet univers si étranger à la luxuriance tropicale, les savanes aux teintes presque violettes lors des carêmes extrêmes donnent au paysage une quiétude absolue. Et dans l'harmonie paisible des soirs se devine le bruissement des *langues à vieilles femmes* traversées par le souffle léger du vent.

Le monde caraïbe vit au double rythme d'une saison sèche, le carême, et d'une saison pluvieuse, l'hivernage, propice aux cyclones. Sur le massif montagneux de la Basse-Terre, des averses s'abattent en trombe, font déborder les rivières et briller les feuilles des arbres géants. Mais, capricieux et inégal, le régime des pluies imprime au paysage de saisissants contrastes. Ainsi, la Côte sous le Vent ou la Grande-Terre se contentent-elles de carêmes très secs, qui brûlent les savanes. Les fourrés épineux, les *bois secs* qui

LA FORÊT

Pour le néophyte, la forêt tropicale révèle un univers botanique caractérisé par l'intensité et la diversité de la flore. L'atmosphère chaude et moite d'une serre naturelle favorise sur le massif volcanique l'exubérance végétale. Une grande partie du domaine forestier de la Basse-Terre manifeste la prédominance de cette nature luxuriante. Mais, en fonction de l'altitude et du régime des pluies, le relief tourmenté de la Soufrière accueille aussi d'autres types de forêts.

Dans les zones sèches de la Côte sous le Vent épargnées par l'agriculture et l'urbanisation se développent, dans le maillage des bois secs et des fourrés à campêches, des espèces arborées tels les gommiers rouges et les poiriers-pays. À un niveau plus élevé, et grâce à une pluviosité moyenne, la forêt mésophile s'enrichit de courbarils ou d'acajous toujours concurrencés par les cultures vivrières. Des variations dans l'ensoleillement selon les versants conjuguées à des différences d'exposition au vent ou sous le vent nuancent toutefois une répartition schématique de la flore en paliers successifs, et l'humidité du milieu ménage des points de contact entre les espèces représentatives des différents étages de la végétation.

Dans la forêt moyenne par exemple, les fougères et les mousses pourront proliférer sur les bords des rivières, tant il est vrai que l'implantation de la forêt tropicale, qui couvre plus de 35 000 hectares sur la Basse-Terre, dépend toujours de l'hygrométrie. À plus de 350 m d'altitude en Côte au Vent, de 550 m en Côte sous le Vent, les 2 000 à 2 500 mm de précipitations annuelles déterminent la forêt dense humide, ses grands arbres et son incomparable déflagration végétale. C'est dans ce milieu endogène à l'écosystème fragile mais protégé des agressions humaines par son statut de parc national que s'épanouissent, sous les frondaisons dominantes des gommiers blancs ou des acomats, les palmistes-montagne et les fougères arborescentes en différentes strates arborées qui saturent l'espace tandis que les lianes et les épiphytes investissent les troncs et les branches. La nébulosité et la violence des vents arrêtent ce foisonnement au-dessus de 1 000 m. Seuls résistent les fourrés arbustifs et, au dernier étage de la montagne, la végétation rare de la savane altimontaine.

Une strate arbustive de fougères arborescentes et de balisiers (gros plan ci-contre) se développe sous les gommiers blancs (page de droite, en bas au milieu) et les acomats (page de droite en haut à gauche), dont les troncs et les branches sont couverts par des lianes et des épiphytes.

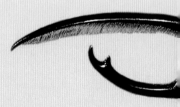

Dans la marée verte de la forêt dense humide, l'alpinia, l'anthurium et le balisier créent des vagues de couleurs vives.

La grosse tige ascendante de la siguine blanche s'agrippe au tronc des grands arbres de la forêt tropicale.

Le *Dryas iulia* butine les fleurs des jardins.

Le dynaste hercule (*Dynastes hercules hercules*), l'un des plus grands coléoptères du globe, doit son appellation de « scieur de long » à la présence d'une pince acérée. De mœurs nocturnes, ce curieux insecte familier des cimes des grands arbres, toujours inféodé à la forêt dense humide, manifeste parfois son vol bruyant à la tombée de la nuit dans les zones habitées. Devenu rare aux Antilles, le dynaste hercule est une espèce protégée.

Emblème du parc national, le racoon, raton laveur (*Procyon minor*) au masque noir et à la queue annelée, est l'un des plus gros mammifères sauvages de la Guadeloupe. De mœurs nocturnes, ce petit cousin des ours américains reste, malgré un arrêté de protection, la cible des braconniers sous prétexte de ses chapardages dans les zones cultivées.

AU-DESSOUS
DU VOLCAN :
LA FORÊT TROPICALE

Des *razyés* secs piquetés de cactus-cierges à l'acomat grandes-feuilles, la nature tropicale joue d'infinies variations. Sur la terre rocailleuse, la rumeur des cannes répond aux cataractes de pluies de la forêt tropicale comme la brûlure du soleil à la pesanteur des ciels ombrés de nuages. La forêt moyenne, elle, offre ses arbres de vie, tels le miraculeux arbre à pain ou le manguier. C'est aussi à cet étage de végétation que se déploie le fromager, celui-là même qui hante l'imaginaire et les contes créoles chaque fois qu'il est question de *soucougnans* et autres *bèt à fé*.

Pages précédentes. Sur les anciennes terres à sucre surgissent des moulins sans ailes indifférents aux vents et aux figuiers maudits qui fracturent leurs pierres.

Mais, aux Antilles, le monde végétal exprime véritablement sa puissance sur les massifs montagneux. Là, la forêt dense, fille de la pluie, inspire une végétation foisonnante. Orchidées sauvages, fougères géantes, grands arbres, lianes inextricables accrochées à la splendeur originelle des versants de la Soufrière…

Dans le maillage du couvert végétal de la forêt tropicale ou dans les jardins antillais, fleurs et plantes composent un riche catalogue d'espèces exotiques.

L'opalescence de la rose porcelaine (en bas) répond à la brillance de l'anthurium (ci-dessous) et les grappes rouges de l'alpinia (page de droite en haut à gauche) aux épis rigides du balisier (page de droite au milieu). Du vert au jaune, les massifs de croton (page de droite) déclinent leurs feuillages quand le bananier arbore sa curieuse fleur violette (page de droite en bas à droite).

Sur les flancs du volcan péléen et des montagnes voisines, la forêt tropicale recèle des variétés botaniques enserrées dans le maillage de son manteau végétal : des drapés de verdure traversés de rivières, de cascades glacées, de sources chaudes... Mais, en altitude, les veloutés de fougères à l'épreuve de la forte nébulosité, de la fraîcheur nocturne et de la violence des vents s'effacent au profit de fourrés émaillés de fleurettes pour laisser place sur les crêtes à la prairie altimontaine. Règne du silence, monde de brumes où, sur les plus hauts sommets, les tapis de sphaignes, les lis ou les violettes de montagne proposent l'ultime visage de la nature caraïbe. La création d'un parc national montre bien le souci de préserver les arbres majestueux, les lianes, les plantes grimpantes et les plantes épiphytes enchevêtrées, emmêlées à leurs troncs. Dans ce royaume de géants, l'acomat et le bois rouge carapate à l'écorce rougeâtre sont les maîtres incontestés de la forêt de la pluie. Le magnolia aussi dresse ses fleurs blanches, toujours solitaires et lourdement parfumées. Enfin, dans ce monde des grands arbres des Antilles, le gommier blanc évoque le temps où son tronc creusé, évidé selon la technique des Amérindiens, servait à fabriquer les yoles nerveuses des marins-pêcheurs martiniquais. Noyé dans de somptueuses fougères arborescentes, le couvert végétal de la forêt tropicale offre aussi une infinité d'arbustes aux fruits délicats, étranges et colorés qui enlacent leurs racines et leurs feuillages luisants. Jasmin bois, merisier, groseillier grandes-feuilles, quantité

d'espèces tapissent la masse ronde et bosselée du massif volcanique. De loin en loin, les tiges altières des balisiers percent de jaune ou de rouge violent le vert profond de la nature. Mais ce sont surtout les lianes rongeuses d'écorces qui impriment à la forêt son véritable caractère : ardent, dense, inextricable. Les longues racines aériennes de la siguine, les vrilles de la pomme-liane grand bois bruissent les jours de grand vent comme des percussions étouffées.

Du rivage, l'émerveillement s'impose aux premiers découvreurs face à cette luxuriance. De la *Maria-Galanta*, le 4 novembre 1493, les vigies signalent d'abord le sommet des montagnes, puis décrivent les forêts verdoyantes. Mais c'est en mettant le cap sur une énorme cascade, les chutes du Carbet, que Christophe Colomb va aborder l'île de Karukera, l'île aux Belles-Eaux. Découvrir la Guadeloupe, les voiles gonflées de l'impatience de l'alizé, c'est d'abord, pour l'amiral de la flotte océane, partir à la recherche de la rivière du Grand Carbet. C'est assez dire, au-delà du double ancrage de l'île entre océan Atlantique et mer Caraïbe, l'importance fondatrice de cette eau cristalline qui arrose le relief montagneux de la Basse-Terre. La première, l'eau vint au rendez-vous de l'histoire du Nouveau Monde.

En haut. La fougère arborescente déploie ses frondes en éventail comme de fragiles parasols sur la forêt humide.
À gauche. En massif ou en haie, croton et alpinia confondent la densité de leurs feuillages émaillés de l'éclat rouge des fleurs.
Page de droite. La Basse-Terre doit à la puissance tellurique de la Soufrière la richesse sauvage d'un univers végétal où s'imbriquent d'infinies variétés de plantes et de grands arbres.

Rivière Corossol.

L'histoire du Nouveau Monde s'initie dans la région de Capesterre-Belle-Eau, la bien nommée. Les plus belles rivières de l'île vivent des brumes indécises et de l'atmosphère humide du massif forestier, véritable château d'eau de la Guadeloupe.

Depuis sa source, sur le flanc de la Soufrière, l'eau de la rivière du Grand Carbet improvise de savants parcours, des détours accidentés jusqu'à l'apothéose de ses trois chutes, les chutes du Carbet, les plus hautes des Petites Antilles. Trois chutes spectaculaires, trois sillages

d'argent incrustés dans l'ossature rocheuse de la montagne dissimulée sous la végétation tropicale. Dans leur périmètre grandiose, les eaux dormantes du Grand Étang ceinturées de mornes aux frondaisons touffues réfléchissent les éclats de ciel et de lumière.

D'autres étangs, plus confidentiels, émaillent ce même espace : mares d'eaux douces ou petits lacs poreux qui se remplissent lors de la saison des pluies. Étang Zombi, Madère, Roche, As de Pique, des lieux scellés aux imaginaires et aux mémoires.

La cascade Vauchelet croquée par Budan dans *la Guadeloupe pittoresque*. La rivière du Grand Carbet dévale en trois chutes spectaculaires les flancs de la Soufrière.

azurées. Autre rivière du Sud, la rivière aux Herbes témoigne de l'enjeu capital représenté par l'eau au début de la colonisation, quand les rivières fracturaient le terroir. Les archives de la ville de Basse-Terre, sa division en deux paroisses, Mont-Carmel et Saint-François, rappellent qu'on ne put longtemps franchir son cours qu'à gué, et que, dans l'histoire des Antilles, la croix du missionnaire s'associe à l'arme du conquérant. Dès l'origine, le cours de la rivière aux Herbes fut détourné pour alimenter le moulin de l'habitation des carmes. Rivière utile par excellence, la rivière aux Herbes était, *an tan lontan,* le rendez-vous des blanchisseuses, au temps du bruit des battoirs et des langues, des rires et des cancans, au temps des toiles blanches étalées sous le soleil.

Liée à l'implantation des dominicains venus à la Guadeloupe évangéliser les Caraïbes, la rive gauche de la rivière des Pères fut aussi, à l'époque où la rivière traversait leur domaine, le site privilégié de l'implantation des premiers colons, conscients de l'importance fondatrice de l'eau. De la montagne à la mer, de nombreuses rivières cloisonnent en effet le paysage et tissent des réseaux complexes, dont les sauts, saut d'eau de Matouba sur la rivière Saint-Louis, saut Constantin à la jonction de la rivière Noire et de la rivière Rouge, sont les somptueux points d'orgue.

La célèbre cascade aux Écrevisses et son bassin, au confluent de la rivière Corossol.
Page de droite. Une version pittoresque de la rivière Palmiste (hauteurs de Petit-Bourg) sous le dessin d'Armand Budan (1827-1874).

LES RIVIÈRES FONDATRICES

Comme la rivière des Pères ou la rivière aux Herbes, la rivière du Galion raconte la volonté initiale de mise en valeur de la région de la Basse-Terre, l'appropriation de l'île sur son versant caraïbe. Sa dénomination parle toujours de découverte espagnole, de flotte catholique et de conquistadores…

Le Galion, qui prend naissance à quelques pas du cône du volcan, dans un chaos de roches, pour imprimer à la végétation les marques sulfureuses de ses eaux, vaut aussi par sa grande cascade, une masse écumante surgie entre les à-pic des falaises, par la Parabole, ainsi nommée à cause de la courbure de sa forme, et enfin par le bassin Bleu, une halte paisible où la lumière réfléchit des ondes

De la même manière, le Nord recèle aussi ses histoires d'eau… Moins spectaculaires que les chutes du Carbet, les chutes de la rivière Moreau, accessibles à partir de Goyave, permettent une superbe incursion dans le monde de la forêt tropicale. À la hauteur de Petit-Bourg, une vigoureuse cascade, le saut de la Lézarde, creuse à travers feuilles et branches un grand bassin. Mais, dans ce festival de rivières souvent cachées au cœur de la forêt basse-terrienne, comme la rivière Grande Plaine ou le saut d'Acomat, la palme revient sans doute à la rivière aux Écrevisses, lieu privilégié des excursionnistes, à l'endroit où elle se jette en chute dans la rivière Corossol.

De rivière en cascade, de source en bassin, le régime des pluies entretient sur la Basse-Terre la légende de Karukera, l'île aux Belles-Eaux.

LES HABITANTS ET LES EAUX

Élément fondateur de la naissance des habitations, de l'économie de plantation, enjeu majeur des gouverneurs qui vont s'occuper d'hygiène et de salubrité publiques, d'alimentation en eau potable des villes comme Pointe-à-Pitre ou Basse-Terre après l'abolition de l'esclavage ou la terrible épidémie de choléra en 1865-1866, les eaux de source, les eaux thermo-minérales jouent également un rôle important dans la vie de la colonie. La population n'ignore rien des valeurs curatives des bains Jaunes et des bains chauds du Matouba, qui sourdent en altitude dans un climat plus frais, propice à la villégiature et au *changement d'air*. Planteurs, esclaves en convalescence, troupes consumées de fièvre viennent passer l'hivernage dans les stations d'acclimatation de Saint-Claude et de Matouba, là où les gouverneurs installent leur résidence durant la saison des cyclones. Mais dans l'ordinaire des plaisirs et des jours aussi, les habitants apprécieront longtemps les sources. Sources de Sofaïa, de Ravine Chaude, de Dolé, images de curistes du temps où Gourbeyre affichait sa vocation de station thermale... La commune du Lamentin a réhabilité son bassin et ses cabines avec une empreinte résolument moderne qui n'a plus rien à voir avec l'époque des pudiques maillots rayés et des *bakouas*.

Au temps des moustiquaires et des *boucans*, avant la mode des bains de mer et de la plage, l'eau, c'est aussi le bonheur des parties de rivière. Dans les maisons de *chan-gement d'air*, habitations d'une autre époque aujourd'hui endormies sous des lianes géantes, les Pointois, loin de l'écrasement et de la chaleur de la ville, affectionnent ces excursions où l'on n'oublie jamais ni le *punch* ni le *didiko*. On se réveille au *pipirit* chantant pour rejoindre, dans la splendeur du matin, les cascades surplombées d'énormes rochers, on s'égratigne les genoux sur des amas de branchages pour retrouver les ravines profondes, les torrents rapides, le fracas des cataractes. Une certaine littérature antillaise vit de ces souvenirs rituels, de ces traditions parfois assombries de drames et de malheur lorsque, sous les coups de colère du vent, les pluies s'abattent en trombe pour grossir les rivières jusqu'à les faire déborder de leurs rives. Aujourd'hui, l'or des sables de la Grande-Terre et la profondeur violette de la mer détrônent le cristal glacé qui court dans l'exubérance de la nature. Signe des temps : la partie de rivière appartient au registre du passé, même si quelques Antillais fidèles en goûtent encore les charmes nostalgiques.

UNE HISTOIRE DE MERS

Au monde divers des insularités guadeloupéennes lisibles dans la variété des paysages, la mer est partout présente comme un élément d'unité... Partout, elle limite l'horizon, qui s'y abîme et s'y dissout, sitôt passé le collier d'îles de l'archipel et ses îlets déserts. Dans les fonds marins de la côte caraïbe comme sur le littoral atlantique, où prolifèrent coraux et madrépores, partout l'on goûte le sel de l'eau turquoise, l'on respire le souffle et la présence du monde de la mer : eaux calmes de la Caraïbe, vagues puissantes de l'océan.

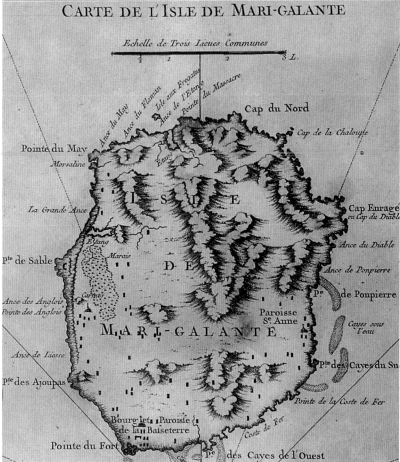

Entre ciel et mer, le monde insulaire préserve son identité. Coiffé du salako, le pêcheur saintois adhère encore aux modèles traditionnels, en marge des évolutions de l'archipel.

Aux Antilles, la pêche conserve son caractère artisanal et des techniques héritées des Caraïbes même si le grillage des nasses remplace le bambou tressé, et le bateau à moteur la yole et le gommier.

Chaque soir halées sur la grève, les embarcations disent que la vie des îles s'est organisée autour de la mer depuis le temps originel du cabotage. En Côte sous le Vent, le bateau fut longtemps le seul moyen de briser les solitudes nées du volcan malgré le danger des passes et la force des vents qui rabattaient à la côte vers l'îlet à Kahouanne et la Tête à l'Anglais.

Dans l'horizon archaïque des Antilles, la colonisation de l'arc antillais commence bien avant les caravelles de Colomb par les pirogues-radeaux des Amérindiens, premiers chercheurs d'espace,

d'aventure et de subsistance. Ils légueront d'ancestrales techniques aux premiers occupants européens et africains, dont la pêche à la nasse, par exemple. Une civilisation, une culture, qui sait déjà exploiter la diversité des ressources littorales : poissons, crabes, tortues, coquillages, lambis surtout, ces conques à la nacre rose liées aux rituels les plus anciens. Sculpté en outil, puis en bijou, tour à tour parure, instrument de musique, corne de départ ou de retour d'expédition, le lambi servira à tout : à caler la porte du carbet, puis de la case, comme à

délimiter la tombe, à décorer le jardin comme à embaumer la cuisine… Avec la mer, tout a commencé ; par elle ont abordé tous ceux qui ont tressé l'histoire des Antilles. La découverte du Nouveau Monde transforme la mer Caraïbe en un gigantesque théâtre de luttes coloniales où se jouent toutes les convoitises de la conquête, où retentissent aussi les canonnades des corsaires, des flibustiers et des pirates. Basse-Terre, la première, prend le visage d'une ville fortifiée quand les colons choisissent sa rade ouverte, protégée des vents par l'armature montagneuse, et ses fonds où peuvent aborder les galions. Pourtant, les remparts du fort Delgrès, les redoutes et les batteries qui gardent la côte ne pourront rivaliser avec les qualités nautiques remarquables du Petit Cul-de-Sac marin, où abondent lamantins, tortues et porcs sauvages, les qualités stratégiques aussi du morne Renfermé, où s'établira Pointe-à-Pitre. Pointe-à-Pitre : une darse avant tout, un port, quelques

négociants en boucauts de morue, quelques surfaces de terre gagnées sur des marais infestés de moustiques, sur la mangrove, cette forêt aquatique qui caractérise le littoral des pays tropicaux.

Le Nylon a succédé au chanvre teinté au roucou, mais l'entretien des sennes demeure un exercice de patience.

L'UNIVERS DE LA MANGROVE

Avec des variations dans leur degré de salinité et d'inondation, les espaces de mangrove, à la fois réserve naturelle et refuge faunistique, composent une mosaïque littorale de marais saumâtres et de forêts marécageuses ancrées sur les racines aériennes des palétuviers.

La mangrove vit de côtes basses et vaseuses recouvertes d'eau de mer ou d'eau saumâtre. Son domaine de prédilection s'étend autour des deux Culs-de-Sac marins, épargnés de la houle, et de la rivière Salée, cet étroit chenal aujourd'hui enjambé par le pont de la Gabarre, qui sépare la Basse-Terre et la Grande-Terre.

La mangrove : c'est elle que l'on distingue en approche de la piste de l'aéroport des Abymes Pôle Caraïbe, une vision magique et très étrange par ses allures désordonnées de jungle aquatique. Dans cet immense espace quasi impénétrable domine le palétuvier rouge, autrefois exploité pour son tannin. Ses racines aériennes, telles des échasses, dessinent des formes torturées, enchevêtrées, des arceaux inextricables. La forêt de palétuviers, ancrée dans un sol vaseux gorgé d'eau et de sel, livre d'impressionnantes beautés au coucher du soleil, quand des colonies d'oiseaux,

comme l'élégant héron garde-bœuf, semblent fleurir le feuillage. Dans la mangrove vivent aussi des palourdes, des *crabes sémafot* ou des huîtres de palétuviers prisées par les Amérindiens en ce temps où Karukera était la terre des Caraïbes. Au cœur de ce milieu riche en plancton, toute une population d'alevins et de petits crustacés s'applique en effet, dans les entrelacs des palétuviers, à repeupler les eaux.

La mangrove : un monde de rites et de liberté pour les Antillais, qui savent encore fabriquer des *zatrapes,* fouiller la vase, apprécier le ballet nocturne des grandes chauves-souris, le concert discordant de la poule d'eau à cachet rouge. Des étangs bois-secs hantés de vestiges d'arbres morts succèdent à la mangrove littorale et participent à ses envoûtants sortilèges. Tour à tour paysage forestier qui abrite des sarcelles dans ses frondaisons, monde de marais ou de savanes inondées, de prairies saturées de pluies en période d'hivernage, assoiffées durant le carême, la mangrove dessine tout un arrière-pays littoral imbibé d'eau, un pays spongieux où bat un cœur végétal et animal et où la terre et la mer rêvent de se confondre et de se rencontrer.

Des formations arbustives vivent immergées et dessinent des paysages noyés où se repèrent des *bois flottés.*

LES RIVIÈRES

Karukera, l'« île aux Belles-Eaux » des Amérindiens, constitua, par la qualité de ses rivières, une escale privilégiée pour les découvreurs d'Amérique et les aventuriers de la Caraïbe. Sur la Basse-Terre, le régime des pluies entretient un réseau de chutes et de cascades qui dévalent le massif forestier avant d'arroser les plaines. Cachées au cœur de la forêt tropicale ou accessibles par des traces balisées, les rivières dévoilent aux amateurs de nature les richesses et la diversité de la faune et de la flore spécifiques de ce milieu dense humide.

De nombreux cours d'eau comme la rivière à Goyaves irriguent le sud de la Basse-Terre.

Le héron vert (Butorides striatus) s'adapte à tous les milieux et se rencontre aussi en altitude, à proximité des rivières et des étangs, même s'il préfère les racines-échasses des palétuviers de la mangrove pour nicher.

Rare à la Guadeloupe et d'humeur farouche, le martin-pêcheur à ventre roux (Ceryle torquata) pêche le long des rivières ou au bord des étangs. Sédentaire, il affectionne les zones boisées à proximité des torrents et des ravines.

Victime de captures anarchiques, l'espèce sauvage du ouassou s'est raréfiée. Les grosses crevettes des élevages aquacoles de Pointe-Noire remplacent dans la gastronomie locale les zabitans des rivières.

Le bihoreau violacé (Nycticorax violaceus) fréquente les étangs vaseux de mangrove et se nourrit de crabes de terre.

LA MANGROVE

Dans les zones basses et imprégnées d'eau de mer des littoraux tropicaux s'implantent des forêts de palétuviers typiques des mangroves de la Caraïbe où prédomine le mangle rouge. En grande partie circonscrite aux abords de la Rivière Salée et des Grand et Petit Cul-de-Sac marins, la mangrove de la Guadeloupe présente aussi, au-delà de cette forêt aquatique, une bordure de marais saumâtres à hautes herbes et des « étangs bois-secs ». Dans ce biotope à l'interface de la terre et de la mer, se développe un écosystème essentiel à la régénération de l'air et à la protection contre l'érosion, et propice à la reproduction comme à l'alimentation de la faune.

Le héron garde-bœuf (*Bubulcus ibis*), inféodé le jour aux troupeaux des savanes, se rassemble le soir en colonie sur les îlots de palétuviers.

Des arceaux de racines aériennes ancrent la forêt de mangles dans un fouillis impénétrable, et lui permettent de respirer dans le sol vaseux de la mangrove. Sur ce biotope riche en plancton, la faune aquatique s'organise, et de nombreux oiseaux trouvent refuge à l'abri de ce milieu.

Groupées sur des buissons de palétuviers, les frégates mâles (*Fregata magnificens*) en plumage nuptial cherchent à capter l'attention des femelles.

SOUS
LES TRANSPARENCES
TURQUOISE

La mangrove, ses eaux dormantes, stagnantes, est l'un des visages possibles du littoral guadeloupéen. Mais, dans l'île antillaise, d'autres images se baignent et se reflètent, empreintes au large des baies, sur les côtes au vent, de la magie exotique des barrières coralliennes : une barrière naturelle, écueil redouté des navigateurs qui recherchent la passe étroite, paradis des poissons récifaux multicolores. Chirurgien, poisson-coffre, capitaine… se jouent des caches des coraux et des madrépores quand la murène verdâtre promène son inquiétante langueur. Tout un monde exubérant et fragile, où les gorgones, les éponges, le corail… créent un paysage

À droite. Sculpté par l'érosion, l'éperon rocheux de la pointe des Châteaux s'avance à la rencontre des eaux entre Atlantique et Caraïbe.

Ci-dessous. Sur le littoral de Sainte-Anne, une guirlande de récifs coralliens réserve un vaste lagon d'eau turquoise aux baigneurs.

étrange hérissé de tentacules, de cierges, d'éventails, a colonisé ces édifices calcaires exposés aux assauts des vagues du large. Les étoiles de mer, les ophiures, les concombres de mer, les oursins vivent aussi de la protection du récif, tout comme les crustacés. Des anfractuosités émergent les antennes des homards, autrefois négligés par les pêcheurs au point de servir d'appât dans les nasses, aujourd'hui très prisés et rebaptisés langoustes.

En avant-scène de cet espace corallien, dans la transparence des eaux tropicales qui baignent les côtes sud de la Grande-Terre et le Grand Cul-de-Sac marin, les *cayes* affleurent, jardins féeriques, façonnés, ciselés en fragiles dentelles au gré des lames de l'océan. Elles quadrillent un lagon turquoise à quelques encablures de Saint-François.

Dans cet univers à fleur d'eau, les fonds blancs sont les privilèges intimes des littoraux guadeloupéens quand le sable et la mer vous accueillent à l'heure du punch dans un petit bassin tiède. Rite bien connu des plaisanciers qui, après les creux de la barre de la pointe des Châteaux, abordent les îlets de Petite-Terre.

Le large, le grand large qu'initie ce passage par l'entre-deux-mers, c'est aussi, bien sûr, le monde des poissons, poissons de haute mer comme la daurade coryphène, le marlin de la Côte sous le Vent, le thazard, le requin, l'espadon…, qui renvoient aux images de la pêche d'autrefois, une pêche artisanale dont les techniques, la senne ou la nasse, restent les modèles emblématiques.

Comme les forêts où s'étage la variété de la végétation, comme les littoraux ancrés sur la double empreinte d'une île d'Atlantique et de Caraïbe, la Guadeloupe, dans sa terre, est marquée de ce sceau du divers… La Côte sous le Vent, la Grande-Terre, les Grands-Fonds…, autant de rencontres singulières avec une nature plurielle.

LA CÔTE SOUS LE VENT

Une enclave, la Côte sous le Vent, reste marquée du pacte essentiel conclu entre l'eau et ses premiers habitants, quand les vallées de la rivière Beaugendre et de la Grande Rivière de Vieux-Habitants permirent d'écrire les premières pages de l'agriculture vivrière et, les forêts d'altitude, les anciennes épopées des scieurs de long. Les vestiges militaires comme la tour du père Labat, à Baillif, ou bien les batteries de la pointe Deshaies rappellent aussi la vulnérabilité d'une côte colonisée au temps de la première Compagnie.

Partout, la mer, à portée du regard, ceinture les rochers, enserre les accidents du relief dans les échancrures turquoise du littoral. À en appréhender les saillies et les fractures, on a le sentiment que la nature, recluse aux contours torturés des mornes, a été systématiquement inventoriée, travaillée, et subrepticement investie comme si l'habitant avait voulu s'approprier chaque interstice de liberté que pouvait bailler le système colonial. Conjuguée à un passé d'isolement, cette hostilité du milieu montagnard a créé une société rompue à l'appropriation même frondeuse de l'espace et toujours très solidaire de ses traditions.

Dans le paysage très fractionné de l'île, végétation et relief changent sans arrêt : savanes lisses des terres à canne (ci-dessus), falaises torturées où se brise la houle atlantique (page de droite).

Adossés aux sommets de la chaîne
volcanique, les contreforts
montagneux, copieusement arrosés
par les ruisseaux et les cascades de la
Soufrière, ont permis l'installation des
premiers arrivants de la colonisation.

Dans les petits quartiers blottis
dans les fonds de la Côte sous le
Vent, les *zombis*, les *volans* et les
soucougnans sont plus agressifs
qu'ailleurs, les veillées plus
authentiques, la pratique du créole
très vivace.

Adossée aux sommets de la chaîne
volcanique, protégée de l'alizé par
une ligne de crêtes continue, la
Côte sous le Vent se déploie le long
de la mer Caraïbe de Sainte-Rose
à Baillif. C'est un climat de sécheresse et de chaleur, qui confère à
la région son unité, car des caractères différents se combinent dans
ce défilé d'anses baignées d'eau
claire, comme l'anse à la Barque,
et toujours inspiré de l'esprit du

volcan. Au nord de Bouillante,
le versant caraïbe est plus étroit,
les pentes plus vigoureuses, les
communes montagneuses de
Deshaies, Pointe-Noire, Pigeon-
Malendure cherchent leurs
espaces de terres entre des
promontoires et des éperons
rocheux, des caps, semés d'agaves
et de cactées, longent des baies
encerclées de taillis escarpés, des
pointes comme la pointe à Zombi
ou la pointe à Négresse. Au sud
de Bouillante, en revanche, sur le
versant oriental, la déclivité s'at-
ténue, les plateaux s'élargissent,
dominés par de puissantes coulées
épaulées aux principaux sommets
du massif volcanique.

LA TERRE
DES PREMIERS HABITANTS

Essentiellement vivrière, l'agriculture y est comme dispersée, indécise : pièces de culture, minuscules damiers qui, au milieu des halliers et des jachères boisées, montent à l'assaut de la forêt et lui laissent une livrée rapiécée. Ces techniques culturales dans les *habituées* ouvertes dans les fonds, au bord des cases ou dans les replats des vallées, associées à l'élevage pratiqué dans les savanes ingrates, à l'abattage du bois dans les forêts et à la pêche sur le littoral, demeurent le signe caractéristique de l'ancienneté comme de la diversité de la mise en valeur de la région par les premiers habitants de souche européenne. Elles font aussi implicitement référence au système de concessions, au partage arbitraire des terres, au temps des seigneurs-propriétaires de la Compagnie de Saint-Christophe, puis de la Compagnie des isles d'Amérique. Terroir originel, en particulier pour la commune de Vieux-Habitants, la Côte sous le Vent et ses cultures oubliées, qui poussent aujourd'hui à l'état sauvage, est aussi le mémorial de l'agriculture coloniale. Indigotier, tabac, vanillier, cacaoyer…, autant de plantes tropicales qui connurent des fortunes provisoires et des destins souvent éphémères. Dans ce passé agricole, le coton écrira une page fugitive dans les riches archives des planteurs. Les aléas et les ruptures de l'histoire commencèrent à fragiliser la production; les parasites, les cyclones et la concurrence américaine firent le reste. *Exit* le coton des Antilles, dont les fruits duveteux se dispersent aujourd'hui sous le vent de l'île. Seuls les caféiers, qui fleurissent en étoiles blanches dans les contreforts de Vieux-Habitants, luttent contre l'oubli. Une production artisanale qui conjure l'abandon de la Grivelière et des plantations de jadis. Autre image d'un passé enfui dans la collection nostalgique de la Côte sous le Vent : l'exploitation du bois. Temps révolu, temps légendaire des scieurs de long qui exploitent à Pointe-Noire notamment les bois nobles de la forêt pour la menuiserie et l'ébénisterie. Berceuse à broder ou à rêver, fauteuil planteur, lit à colonnes ne peuplent plus que de rares habitations ou des musées.

Malgré l'effacement des cultures et des pratiques traditionnelles, l'habitant, cultivateur, pêcheur, menuisier selon les opportunités et les saisons, mais toujours arpenteur familier du paysage, continue d'explorer le fécond et beau désordre de la nature.

LA GRANDE-TERRE

Au premier regard, la Grande-Terre dégage une impression d'amplitude presque monotone à force de vastes paysages dilués dans des étendues solitaires de halliers et de savanes. La référence implicite à l'île volcanique et montagneuse de la Basse-Terre renforce cette réputation d'île plate. Pourtant, le cachet karstique offre une réelle variété de combinaisons où l'on relève, par exemple, au nord, les falaises sauvages de la pointe de la Grande Vigie, de la Porte d'Enfer et l'horizontalité constante, au sud, du plat pays de la canne à sucre. L'uniformité apparente recèle d'improbables contrastes.

En comparaison de l'Ancien Monde, qui parle de permanence et d'unité, dans une typologie souvent formelle des paysages ou dans l'harmonie ponctuelle des saisons, on est frappé ici du foisonnement imprévisible des espaces, de leur fragilité aussi quand cyclones et tremblements de terre les soumettent à leur perpétuelle menace.

Les falaises calcaires de la Porte d'Enfer (à gauche) et de la pointe de la Grande Vigie (en haut) au nord de la Grande-Terre.

Exposée aux aléas climatiques comme aux secousses des différentes crises sociales et économiques qui ont généré la Guadeloupe contemporaine, la Grande-Terre aura pourtant un destin plus tardif que celui de la Basse-Terre des forêts et des eaux. En dépit de ses vastes horizons, qui parlent aujourd'hui d'une accessibilité illusoire, le caractère ingrat de sa terre, au moins dans sa façade maritime, justifie ce décalage dans le processus de colonisation, même si le développement de la ville du Moule est antérieur à celui

de Pointe-à-Pitre, exception qu'explique un port naturel unique sur la côte atlantique. Dans ce monde à part, frappé en de larges endroits des signes de l'âpreté et de l'aridité, la région d'Anse-Bertrand, qui connaît des flambées de sécheresse interminables lors des carêmes, surenchérit dans cet isolement initial. Plaines brûlées par le soleil, falaises crayeuses rongées par l'Atlantique, étendues en savanes et en *bois debout*, halliers de campêches et d'acacias à peine troués par quelques clairières à vivres et à charbon de bois, tout ici évoque la haute solitude, celle des derniers Caraïbes retranchés à l'issue d'un traité de paix cynique sur une concession : le plateau calcaire et sec des Hauteurs caraïbes. Dans les sections de la commune, les cannes étiolées sous l'ardeur du soleil, les vestiges des moulins à vent, les ruines de la Mahaudière à Campêche reflètent aussi une participation timide à l'épopée sucrière, à l'époque où s'établissent les premières centrales de Zévalos, au Moule, ou de Beauport, à Port-Louis.

Sur ce même plateau de terres âpres et belles, emboîtées comme des marches d'escalier avec une côte à falaise qui s'élève au-dessus de l'Atlantique, les Portlands représentent sans doute l'image la plus convaincante et la plus authentique de l'esprit des lieux : le comble de cette extrême et impressionnante solitude qui habite encore cet espace érodé par le vent et la mer.

Plus hospitaliers grâce à une horizontalité à peine traversée de vallées sèches ou de légères dépressions fermées, les plaines de

l'intérieur des terres de Sainte-Anne, de Saint-François et du Moule ont décidé de la vocation sucrière de ces communes qui auront interprété presque à l'exclusive et, pendant plus de deux siècles, la partition de la canne. Sur elle, culture hautement emblématique, s'est forgée une histoire, un ensemble d'expériences hantées de drames humains qui constituent l'identité de la Grande-Terre.

À la fois ouvert et imbriqué, ce paysage de Grande-Terre offre aussi de subtiles variations d'étangs, de mares, de dolines où se lit la formation calcaire, voire une dépression : la plaine de Grippon, qui parcourt la région de Morne-à-l'Eau et réconcilie en des points de contacts privilégiés et flous le monde cannier, des espaces de mangroves et les Grands-Fonds. Une déclinaison de lieux, un emblème aussi de cette disparité qui oppose les vastes plaines cannières, l'habitation et les symboles serviles, au fouillis de racines des jardins créoles, aux maigres pâtures où se pratique un élevage anarchique, aux *habituées* propices à la fabrication du charbon de bois. Une agriculture de subsistance et de liberté, en fait, pour s'assurer contre les mauvais jours, une sauvegarde et une réponse aux discriminations de la propriété et du travail, qui obligent les humbles à faire feu de tout bois, même sur les terres les plus arides.

Page de droite en haut.
À fleur d'eau, les ancres à jas abandonnées par les navires au début du siècle (page de droite en bas) témoignent de l'activité révolue de l'ancien port sucrier du Moule.

LE LITTORAL

Dans l'île, tour à tour volcanique ou calcaire, les variations des sols, du relief et du climat influencent la physionomie de l'espace côtier où prédominent les plages, la mangrove et les falaises. Des plantes aux feuilles coriaces tapissent le littoral sableux bordé de raisiniers bord-de-mer, d'amandiers-pays, de catalpas et de cocotiers. Au cœur des marais vaseux imprégnés d'eau de mer se développe la mangrove et ses forêts de mangles. Exposées aux embruns des côtes accidentées de la Côte sous le Vent, des espèces rampantes et résistantes s'agrippent au roc des mornes desséchés, et, sur les hautes falaises de la Grande-Terre comme dans les îles arides de l'archipel, les cactées résistent au vent et au soleil.

Originaire d'Asie du Sud-Est, le cocotier festonne les plages du littoral. Au gré des courants marins, les noix fibreuses de ce palmier emblématique du paysage tropical se disséminent par flottage.

Migrateur d'Amérique du Nord, le tourne-pierre à collier (*Arenaria interpres*) transite par les zones sableuses ou humides du littoral antillais.

Le *malfini*, ou frégate superbe, utilise les courants pour planer sur la mer. Sa queue très allongée et l'envergure de ses ailes en font un excellent voilier.

Le tourlourou à la couleur éclatante se cache dans les trous sableux. Il appartient à l'espèce des crabes de terre recherchés pour la préparation du matété et des crabes farcis.

Au-dessus des falaises de la pointe de la Grande Vigie en Grande-Terre, arbustes et arbrisseaux s'accrochent aux fissures des roches calcaires.

LA SAVANE

La forêt sèche originelle dégradée par l'agriculture intensive, et plus particulièrement par la monoculture de la canne, conserve, malgré de plates étendues de savane, quelques espèces d'arbres et d'arbustes aux feuilles caduques. Mais la pression des cultures vivrières, du pâturage et surtout de l'urbanisation appauvrit le domaine arbustif et boisé. Seules résistent, en arrière de la mangrove, les prairies humides où se développe une végétation verdoyante.

À Marie-Galante, les savanes adossées aux mornes boisés ménagent toujours des espaces d'élevage et de cultures traditionnelles grâce à une faible urbanisation.

La crécerelle d'Amérique (Falco sparverius), petit rapace sédentaire, niche et chasse dans tous les biotopes de l'archipel guadeloupéen avec une prédilection pour les endroits secs et dégagés.

La sarcelle à ailes bleues (Anas discors) fréquente durant sa migration le littoral marécageux et inondé comme les étangs bois-secs de l'îlet à Fajou.

Le monarque américain, familier des savanes et amateur de zèb papiyon.

LES GRANDS-FONDS

Partie intégrante de la Grande-Terre, les Grands-Fonds constituent néanmoins une entité singulière, dont le morne pourrait être la figure de représentation et de référence. Ces mornes aux contours sinueux dessinent une géographie chaotique à la fâcheuse réputation. Considérés comme incultivables et de peu de valeur par les *grands habitants*, ces bosses aux pentes vives séparées par des ravines encaissées modèlent, bien sûr, un étrange espace, mais se révèlent aussi des lieux de refuge et de résistance. L'apparente anarchie de cette région hautement stratégique qui domine la plaine des Abymes, la plaine de Grippon et les plateaux de Sainte-Anne et du Moule en a fait une terre d'élection des esclaves fugitifs. Après l'abolition de l'esclavage, les nouveaux libres ont également investi le dédale de ces vallées aux profils capricieux, manière de rompre avec le tracé linéaire de la case à l'habitation. Une autre population, les Blancs Matignon, a payé à ce relief de buttes calcaires sa rançon d'isolement. Groupés dans quelques sections des Grands-Fonds, ils vouèrent longtemps un culte marginal à la couleur de leur peau et entretinrent une sorte de roman familial, une filiation aristocratique avec les Grimaldi de Monaco. À l'instar des Blancs Saint-Barth, des Blancs désiradiens, des Saintois, ils se revendiquent des premiers colons, et plusieurs versions justifient leur établissement dans ce bastion de hautes terres très accidentées. Volonté d'échapper aux troubles révolutionnaires

orchestrés par Victor Hugues, repli après l'abolition de l'esclavage ou peuplement plus hasardeux, quelle que soit l'origine de cet étrange isolat blanc, ce qui est sûr, c'est que les Matignon ont longtemps mené la vie des petits propriétaires noirs des lendemains de 1848. Mêmes cases, mêmes familles nombreuses, même pénibilité du travail…, rien ne les distinguait *a priori* de la paysannerie. Avec des conséquences désastreuses, les mariages consanguins scellèrent longtemps leurs préjugés et leurs complexes de couleur, faute d'une intégration à la société blanche de l'île. Aujourd'hui, ces traits particuliers s'atténuent, à mesure que s'affirme l'empreinte de la modernité par l'amélioration du niveau de vie, le métissage, les contacts urbains avec le cœur des Abymes et la ville de Pointe-à-Pitre.

Par ces mêmes ancrages aux modèles de la capitale économique, la région efface progressivement les signes de son histoire. Une histoire marquée par l'adaptation à l'ingratitude de la terre, par son imprévisible fécondation en dépit des aliénations programmées par le mode de l'esclavage. Mais, pour le citadin de Pointe-à-Pitre, l'habitant des Grands-Fonds reste figé dans le cliché tenace du *moun bitako* qui participe au coup de main pour dégrader les taillis, attaquer les *razyés,* pour les brûler en *boucans,* nettoyer les savanes, *fouiller* les fosses pour planter les grosses racines : ignames et malangas, que les revendeuses portent au marché. Sur les lopins de culture ouverts dans les fonds ou le long des pentes, toute une agriculture de survie a colonisé

ces terres longtemps méprisées. Au cœur des traînées spongieuses des savanes traversées de mares, hantées par des feuillages sombres, et toujours dominées par des monticules en taupinière, se détachent le damier des carrés de vivres et les étroites bananeraies, comme des clairières parmi des bouquets

d'arbres utiles : arbre à pain, manguier, cocotier… et des pièces de canne.

Pourtant, la multiplication des cases dans un habitat hier très dispersé, les échanges avec le monde urbain et l'adoption de ses pratiques, gomment peu à peu les particularités culturelles d'un univers encore protégé des trajectoires rectilignes du tourisme par les bosselures irréductibles de sa topographie.

Des pièces de culture et des espèces utiles souvent importées comme l'arbre à pain (en bas à droite), dont les fruits se consomment en *migan*, tapissent les fonds plats en contrebas des mornes (ci-dessous).
Les revendeuses du marché « gagnent la survie » avec les produits de l'agriculture vivrière (en bas à gauche) et les ressources naturelles du terroir comme les mangues (à droite).

Partout à la Guadeloupe, l'expérience du paysage en partages complexes, où des constantes imprévisibles se répètent en écho dans l'archipel, en fractures aussi où s'imbriquent les contraires, semble renvoyer à l'accumulation des drames collectifs, à la mosaïque de la société et aux strates invisibles des actes de l'histoire. Une histoire coloniale marquée par la violence dans l'Amérique des plantations, dans les îles à sucre déclarées terres d'esclavage par la convoitise des hommes. Le décret d'abolition promulgué dans la vieille colonie, le statut de département, la décentralisation n'ont jamais pu gommer la conscience de cette histoire dramatique. À parcourir les actes du mémorial guadeloupéen, on comprend qu'elle puisse encore affecter les rapports politiques, économiques et sociaux d'une île qui se pose la question de sa véritable identité.

Évocation allégorique : *L'Abolition de l'esclavage dans les colonies françaises en 1848*, par François Briard.

LES ACTES
DE L'HISTOIRE

Les caravelles du célèbre Génois n'ont pas débarqué aux Antilles sur des îles vierges : cinq mille ans de culture amérindienne venaient à leur rencontre… L'arrivée de Colomb s'inscrit donc dans la continuité d'une aventure antillaise soudée à la mémoire des populations arawaks puis caraïbes. Malgré les silences et l'occultation de l'histoire, ces *native Americans* originaires de l'Orénoque participent à l'émergence du monde caribéen et constituent le socle des cultures créoles des îles d'Amérique. Du vocabulaire aux moyens d'appropriation des milieux marin et végétal se repèrent au présent les signes d'un héritage quand l'archéologie révèle autant que les techniques, les croyances et les rites des premiers Antillais. Sur la Grande-Terre, les objets sculptés en coquillage ou les pierres à trois pointes retrouvés sur les sites précolombiens de Morel ou de l'Anse-à-l'Eau, les sépultures de l'Anse-à-la-Gourde comme les représentations symboliques des roches gravées à Trois-Rivières, en Basse-Terre, résistent à l'imagerie fantasmatique et cannibale renvoyée par les chroniqueurs. Traces dispersées d'une société bouleversée par les conquérants du Nouveau Monde, de cette longue préhistoire des Antilles effacée en moins de deux siècles. Malgré une résistance acharnée, face à un ennemi numériquement et technologiquement supérieur, les Caraïbes s'inclinent devant l'expansion coloniale et l'occupation progressive des Petites Antilles. Relégués en Grande-Terre, sur le plateau ingrat des Hauteurs Caraïbes à l'issue du traité de paix de 1660 ou refoulés dans l'île voisine de la Dominique, ils quittent la scène historique… Le premier acte de la colonisation se fonde sur la disparition du monde amérindien.

Les îles de l'archipel recèlent aussi des vestiges amérindiens comme cet Adorno anthropomorphe exhumé du morne Cybèle à la Désirade (ci-dessus à gauche).

À Sainte-Marie, au toponyme issu du navire amiral de l'imposante armada du navigateur gênois, un monument commémoratif érigé en 1916 entretient la légende du débarquement de Christophe Colomb en 1493, au cours de son second voyage (ci-dessus à droite). Ce choc avec l'Ancien Monde annonce la disparition des Caraïbes insulaires et l'épilogue de la longue aventure des peuples amérindiens que les révélations progressives des fouilles archéologiques retracent.

Page de droite. Dans le parc archéologique de Trois-Rivières, des roches gravées traduisent en symboles et en signes les rites et les pensées des premiers Antillais. Ici, le pétroglyphe dit « le Cacique ».

Pages suivantes. Guerrier et femme kalinas en armes et atours d'après le père Plumier.

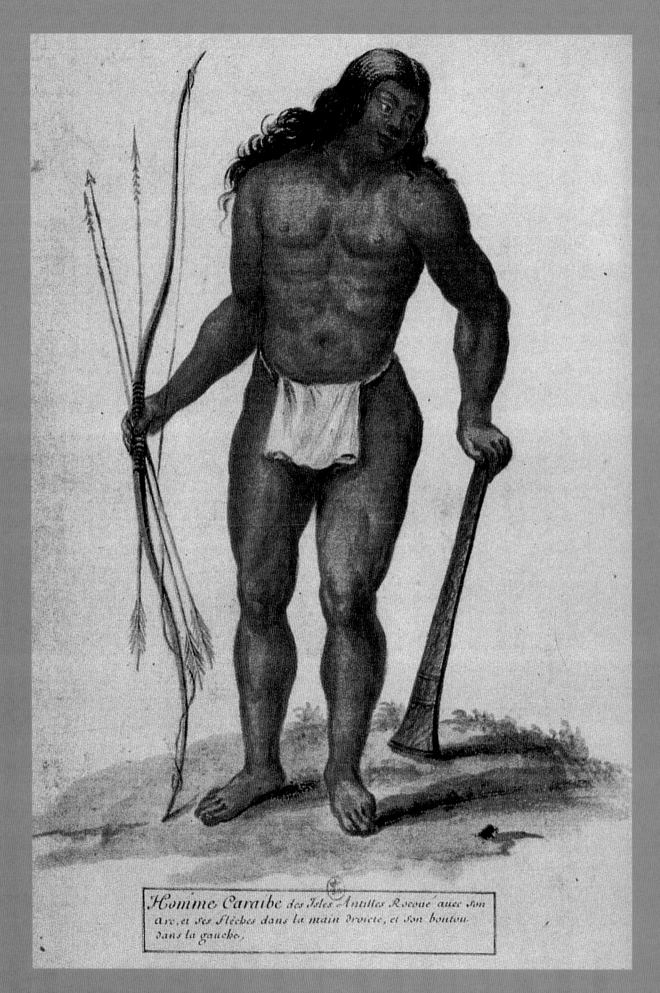

Homme Caraïbe des Isles Antilles Rscoué auec son arc, et ses flèches dans la main droicte, et son boutou dans la gauche,

Femme Caraïbe des Isles Antilles Rocouée et parée très magnifiquement, portant un perroquet sur la main droite, et un panier Caraïbe dans la gauche,

LES LENDEMAINS DE LA CONQUÊTE

Avant que ne se jouent sur la terre antillaise les grands chapitres d'une histoire coloniale, sur la mer Caraïbe tout un peuple d'aventuriers rêve de s'emparer des richesses de l'Eldorado. Espagnoles par les hasards de la découverte, les îles de l'arc antillais attisent les convoitises… L'île, surtout lointaine et vierge, hante les imaginaires, suscite les mythes de paradis et les illusions

tadores et les fortunes de mer. Si l'Espagne s'intéresse surtout aux Grandes Antilles, longtemps après la découverte, la puissance de l'Armada contrecarre les projets d'établissement des nations européennes dans les îles situées au sud de Puerto-Rico… Mais la donne va changer, et le désir d'implantation se concrétiser…

de trésors… Mais si l'or aux Antilles ne tient pas ses promesses, reste une position stratégique à la porte des Amériques, sur la route des flottes espagnoles. Bien avant la colonisation officielle, les îles constituent des lieux d'escale et de ravitaillement, et la mer sert de théâtre aux affrontements entre navigateurs, pirates et corsaires tentés par les butins des conquis-

Avant de remettre le cap sur la gloire et les trésors, les coureurs d'océans relâchent dans les rades (ci-dessus).

Dans le sillage des flibustiers, corsaires du roi partenaires de la colonisation, voire des guerres de la Révolution ou de l'Empire, des forbans ou des pirates écrivent des récits épiques de butins et de pillages. Des femmes, comme Mary Read et Anne Bonny, figurent aussi dans la légende (page de gauche).

Avec la barque et la corvette, le brigantin (maquette page de gauche) constitue un élément privilégié de la flotte de la flibuste.

LE TEMPS DES COMPAGNIES ET DES SEIGNEURS-PROPRIÉTAIRES

On sait par les chroniques du père Jean-Baptiste Du Tertre, témoin capital de la colonisation, que l'île de Saint-Christophe, escale bien connue des corsaires, devint terre d'asile pour ces marins déserteurs ou malades qui, les premiers, se font colons. Belain d'Esnambuc, grand initiateur de la colonisation des Petites Antilles, ancra son brigantin, le temps de se refaire d'un combat contre un galion espagnol, dans cette île qu'Anglais et Français se partagent dans une commune alliance contre Indiens et Espagnols. Île du premier établissement, Saint-Christophe, aujourd'hui Saint Kitts, ouvre la voie de cette expansion coloniale où Hollandais, Anglais, Français neutralisent la puissance espagnole. Dans cette répartition officieuse des îles entre les différentes couronnes, la Guadeloupe reste la cible privilégiée de la convoitise britannique.

C'est en 1635 que débarque à la pointe Allègre, sous la conduite de Liénard de L'Olive et de Duplessis d'Ossonville, l'expédition française. Mais, au lendemain de cette première implantation, sous l'autorité de la Compagnie des isles de l'Amérique, héritière de la Compagnie de Saint-Christophe, la politique d'expansion se heurte à l'inexpérience brutale des colons. Exactions et massacres des Caraïbes, famine et fièvre sont au rendez-vous… Pourtant, le dynamisme colonial guadeloupéen continuera à s'affirmer dans les îles de l'archipel, malgré les mutations d'administration et les crises d'autorité. Avant d'être cédées en 1650 à Charles Houël et à Boisseret, qui inaugurent l'ère des seigneurs-propriétaires, l'île et ses dépendances connaîtront d'abord la tutelle d'un gouverneur. Puis, confiées pour une dernière décennie à la Compagnie des Indes occidentales, elles seront finalement rattachées au domaine royal en 1674, et s'inscriront dans une dépendance effective et durable avec la métropole, lourde de conséquences sociales et politiques. Dans l'intervalle de ces différents modes d'administration, qui visent à l'enrichissement économique des capitales coloniales et se fondent sur des systèmes coercitifs, le traité du fort Saint-Charles marquera le bannissement officiel et l'exclusion définitive des Amérindiens : la route de l'esclavage est ouverte pour exploiter la richesse des îles : le sucre.

ISLES À SUCRE : TERRES D'ESCLAVAGE

Dans leurs rêves de devenir *habitants* et propriétaires aux îles, en échange d'un contrat de trente-six mois, qui commence par les grandes misères de la traversée et se prolonge par la famine, les mauvais traitements et la cruauté des commandants, les premiers engagés défrichent et mettent en valeur des terres riches des promesses du coton, de l'indigo et surtout du tabac. Mais c'est l'exploitation de l'or vert, la canne à sucre, fondée sur le travail servile, qui imprimera à cette Amérique des plantations la marque indélébile de l'esclavage. Tragédie de violence et de démesure, qui voit se couvrir de milliers de tombes le fond de l'Atlantique… Les survivants, réchappés des vaisseaux fantômes qui, depuis Gorée, sillonnent l'océan, connaîtront une autre apo-

calypse et d'autres infamies au terme du voyage. Razzié, vendu ou échangé contre des produits tropicaux, le captif, délivré des chaînes du navire négrier, affronte le monde de l'habitation, une entité autonome et hiérarchisée dont le fouet du commandeur pourrait être le symbole. Société complexe où le mirage de la liberté brouille les cartes entre *nègre à talent*, *libre de savane* et *nègre de jardin*… sans jamais surmonter la barrière infranchissable de la couleur. Perçu comme un *meuble* par le planteur, l'esclave de sucrerie est aussi bête de somme, attaché aux travaux de culture comme à la fabrication dans l'enfer des moulins. Privation de nourriture et de soins, sévices corporels, arbitraire du maître ne juguleront jamais pourtant l'impérieuse exigence d'être reconnu comme homme jusque dans des formes ultimes de résistance comme le suicide ou

L'organisation d'une sucrerie telle qu'elle est décrite dans l'ouvrage de Jean-Baptiste Du Tertre, *Histoire générale des Antilles habitées par les Français*, publié en 1667. Jean-Baptiste Du Tertre découvre les îles un demi-siècle avant Jean-Baptiste Labat, et ses trois séjours à la Guadeloupe rendent ses descriptions d'autant plus précieuses qu'elles concernent la vie quotidienne des colonisateurs et rendent compte des premiers contacts avec les Indiens Caraïbes. Les illustrations sont de Sébastien Le Clerc. On retrouve cette planche dans l'*Encyclopédie* de Diderot et d'Alembert en 1751.

Page de droite en haut. Fers de cale et entraves de bateaux négriers. Entre faux-pont et « échafaud », la configuration des bateaux de traite, comme celle du *Vigilant* sur l'illustration, dénonce la volonté d'entassement maximal des captifs.

Page de droite en bas. À la base du régime alimentaire des Caraïbes, le manioc constitue aussi la nourriture des premiers colons européens et des esclaves.

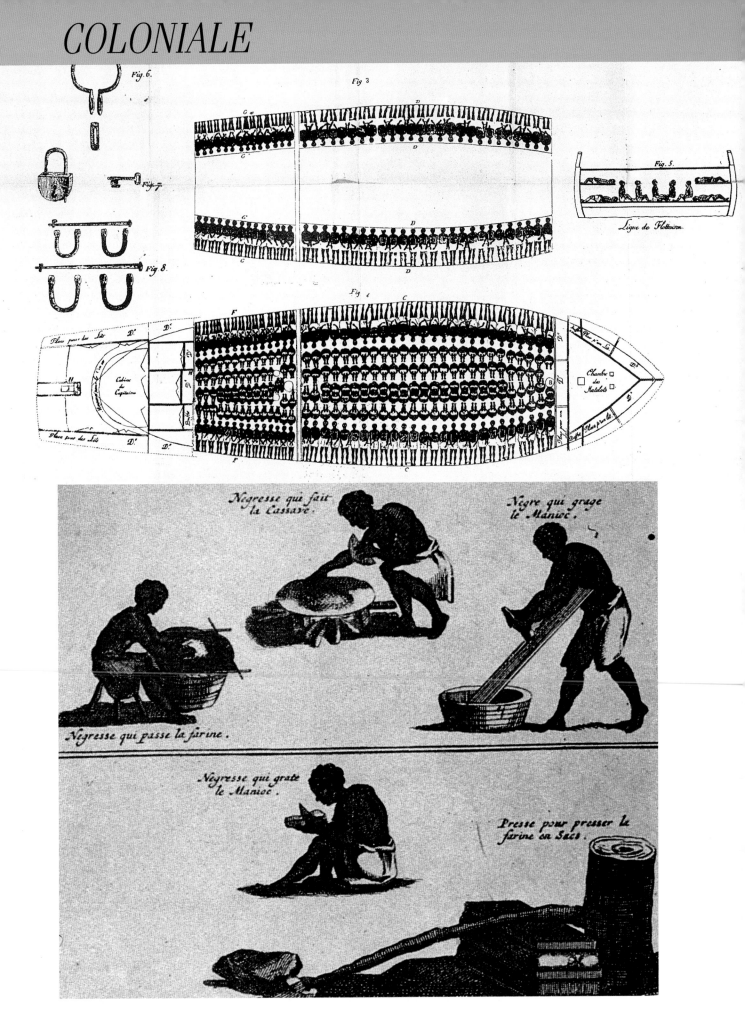

Fig. 6.

Fig 3

Fig. 5.

Ligne de Flottaison.

Fig. 7

Fig. 8.

Fig. 4.

Place pour des Lits

Cabine du Capitaine

Place pour des Lits

Chambre des Matelots

Negresse qui fait la Cassave.

Negre qui grage le Manioc.

Negresse qui passe la farine.

Negresse qui grate le Manioc.

Presse pour presser le farine en Sacs.

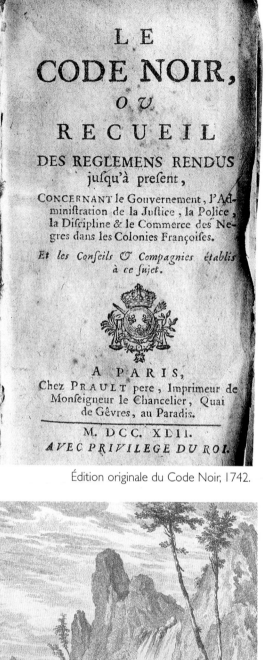

Édition originale du Code Noir, 1742.

l'avortement des femmes. Même si de brutales répressions répondent à toutes les formes de révolte, le maître vit dans la crainte de ces ethnies africaines dont il ignore les rites et qui bouillonnent de colère.

Le Code Noir, promulgué en 1685, viendra assurer la survie et la sécurité du système esclavagiste menacé par la barbarie coloniale et par la violence générale de l'univers de la plantation. Avec la bénédiction du roi et de l'Église catholique, investie de sa mission évangélisatrice, cet appareil législatif va réglementer, légaliser les rapports maître-esclave, manière aussi de rationaliser de fait la condition servile, sous prétexte de lui assurer une certaine humanité de traitement. Il faudra attendre 1848 pour que les senti-

ments abolitionnistes, inspirés des combats de l'Haïtien Toussaint Louverture ou des écrits de certains humanistes comme l'abbé Grégoire, prennent, grâce à Victor Schœlcher, la forme juridique de l'abolition définitive. Dans ce cauchemar plus grand que la nuit, le commerce triangulaire, qui perdure malgré l'interdiction de la traite, aura fait florès, et le *bois d'ébène* enrichi plus d'un capitaine négrier…

Mais, dans la trame, le maillage de la chaîne coloniale, ces peuples déportés auront pourtant modelé un nouveau paysage humain, dessiné un environnement culturel spécifique, créé enfin, par strates successives, une langue : le créole, qui recèle les secrets de la mémoire collective.

En haut. Fumer le tabac dans une pipe de terre, un rituel propre aux esclaves d'habitation au retour des ateliers. *Cachimbo*, peinture de Lyonel Laurenceau. Collection Le Maud'huy.

À gauche. Dissuasif et punitif, le fouet du commandeur claque du matin au soir pour ponctuer les ordres et soumettre les irréductibles. « Ce qui sert à nos plaisirs est mouillé de nos larmes », gravure de Moreau le Jeune, 1772.

Ci-contre. Dans le silence qui scelle la mémoire collective sur le passé servile, l'histoire antillaise consacre la figure du héros de l'abolition : Victor Schœlcher.

Ci-contre. Au-dessus du gaillard d'arrière, une rambarde cloisonne l'espace entre le parc des hommes et celui des femmes. Gravure d'Ursel.

Ci-dessous. La coupe de la canne est toujours manuelle dans les petites exploitations.

Figure haute en couleur de la colonisation, le père Labat, missionnaire dominicain (1663-1738), s'avère aussi un formidable chroniqueur. Ses *Voyages aux isles d'Amérique* sont autant de pages d'anthologie où se croisent en un répertoire savoureux des remarques ethnographiques, des préceptes d'économie domestique, des relevés botaniques ou zoologiques...

LES RIVALITÉS FRANCO-ANGLAISES

La mémoire de la Guadeloupe n'est pas simplement marquée de la barbarie de l'esclavage, de la colère des volcans et des cyclones... La violence des hommes soumettra aussi l'île à de farouches assauts. Sur son domaine maritime, les rivalités franco-anglaises cristallisent les convoitises et les rêves impérialistes. Attaques et offensives, opérations de conquête et d'occupation jalonnent un large pan de son histoire jusqu'au retour officiel de la colonie à la France en 1816.

Initiées à Saint-Christophe, centre de la première colonisation française, les opérations militaires s'étendront à la Guadeloupe. En 1691, Marie-Galante servira de base rapprochée à l'expédition britannique repoussée grâce à l'intervention martiniquaise. La Basse-Terre est à nouveau affectée en 1703 par une invasion anglaise d'envergure, qui se traduit par ces fulgurants assauts racontés par le père Labat. Dans cet autre épisode militaire, flibustiers, colons et esclaves participent à la défense de la colonie. Leur bravoure n'empêche pas les Anglais de brûler et de laisser exsangues les habitations avant de rembarquer... On ne retrouvera pas, au milieu du siècle, lors de la reprise des hostilités franco-anglaises, cet esprit naturel de défense, mélange de patriotisme et d'audace. Dans l'intervalle de la guerre de Sept Ans, qui oppose cette fois les deux puissances sur le front lointain de l'Amérique du Nord, la prospérité des plantations a transformé les premiers habitants en grands colons. Malgré la stratégie défensive du gouverneur, la campagne de 1759 se solde par la capitulation des Français dans des termes modérés, qui ménagent les sensibilités et surtout les intérêts économiques. S'ouvre alors l'ère de la colonisation anglaise jusqu'à ce que le traité de Paris restitue provisoirement en 1763 la Guadeloupe à la France. La fondation de Pointe-à-Pitre date de cette époque. Mais d'autres épisodes d'occupation, dans les troubles de la Révolution et sous l'Empire, affecteront la Guadeloupe jusqu'à la restitution définitive sous le régime de la Restauration.

LES ANTILLES DANS LA TOURMENTE DE LA RÉVOLUTION

Déjà soumises aux répercussions des guerres pour leur position stratégique et leur potentiel économique, les Antilles subiront aussi de plein fouet les tourmentes de la Révolution. Au lendemain de la chute de la royauté, les nouvelles institutions républicaines semblent offrir aux libres de couleur, affranchis ou descendants d'affranchis, la garantie des droits d'une liberté acquise mais toujours reniée malgré les dispositions réglementées par l'article 59 du Code Noir. Discrimination et ségrégation contestent toujours l'édit du roi… Dans ce paysage hautement dominé par la plantocratie coloniale, l'autorité républicaine aura du mal à se faire reconnaître, et il faudra attendre les effets de l'active propagande de Lacrosse, l'envoyé de la Convention, pour voir se rallier la Guadeloupe à la République.
Mais les véritables bouleversements viendront de l'instauration d'un vrai régime de terreur dans l'île reprise aux Anglais lorsque, dans la guerre qui oppose la France à la Grande-Bretagne, les Antilles se retrouvent une fois encore théâtre d'opérations mili-

taires. À la tête d'une expédition offensive qui veut imposer le pouvoir révolutionnaire, Victor Hugues, commissaire de la Révolution, bénéficiera de l'appui des esclaves récemment affranchis par la première abolition de 1794. La répression sera impitoyable à l'encontre des royalistes. La place Sartine, rebaptisée pour la circonstance place de la Victoire, se teinte du sang des aristocrates guillotinés… Un arsenal de mesures, dont la mise sous

Sous la pression des députés
abolitionnistes, et dans la crainte
de la contamination des luttes
insurrectionnelles de Saint-Dominique,
l'esclavage est aboli une première fois
par la Convention avant d'être rétabli
sous le Consulat. *La Convention décrète
l'abolition de l'esclavage le 4 février
1794, gravure de Monsiau.*

ABOLITION
DE L'ESCLAVAGE;
EXAMEN CRITIQUE
Du Préjugé
CONTRE LA COULEUR DES AFRICAINS
ET DES SANG-MÊLÉS;

PAR V. SCHŒLCHER.

PARIS,
PAGNERRE, ÉDITEUR,
RUE DE SEINE, 14 BIS.

1840

Au lendemain de ses voyages dans l'Amérique des plantations, l'abolitionniste Victor Schoelcher ne cessera de dénoncer dans ses nombreux ouvrages la condition des esclaves.

séquestre des habitations-sucreries, va profondément modifier la société guadeloupéenne. Dans le vide laissé par la disparition des grands planteurs et des notables blancs, une bourgeoisie révolutionnaire émerge et, corollaire d'une société multiraciale, une armée de couleur se constitue. Elles conserveront dans l'assagissement qui suit la chute de Robespierre leur confiance dans les idéaux d'égalité et de liberté. Dans cette configuration sociale originale, on comprend que l'autoritarisme de Lacrosse rencontre opposition et contestation au lendemain du rétablissement de l'ancien régime colonial, qui ranime aussi le spectre de l'esclavage. L'arrestation et l'expulsion de cet envoyé du Consul inspireront aux hommes de Bonaparte dépêchés à la Guadeloupe et commandés par le général Richepance la volonté de briser ce qui apparaît comme un acte de sédition. Si une partie de l'armée « coloniale », composée pour l'essentiel de gens de couleur, se soumet, l'autre, encadrée par Delgrès et Ignace, entre en résistance. Les combats seront violents, la riposte sanglante contre les deux officiers qui osent parier sur la liberté. Tandis qu'Ignace trouve la mort sur la redoute de Baimbridge, Delgrès et ses compagnons, repliés au Matouba (sur l'habitation d'Anglemont), préfèrent se faire sauter plutôt que de se rendre. Fin de l'expérience de la liberté, courte parenthèse dans l'histoire esclavagiste, dont la valeur symbolique reste toujours exemplaire. La répression de la rébellion signe un retour à l'ordre qui s'accompagne d'un retour au passé, à la discrimination juridique et sociale, lorsque les planteurs retrouvent leurs habitations et leur population servile toujours reconstituée dans la clandestinité de la traite, malgré fuites et marronnages. Mais, du Consulat à la monarchie de Juillet, dans toutes les secousses de l'histoire, la question obsédante de l'égalité civile continuera d'interpeller la vie politique et intellectuelle française jusqu'au triomphe de l'idéologie abolitionniste et l'émancipation définitive d'avril 1848. Dans ce combat des lumières contre l'ignorance, le mémorial antillais retiendra les noms de l'abbé Grégoire et de Victor Schœlcher. Une révolution sans précédent, un événement historique de référence ou d'obsession pour une île qui devra accomplir bien des mutations politiques et sociales, bien des séparations libératrices avant de se forger une identité.

En haut. Le voile soyeux des fleurs de canne à l'approche de la campagne sucrière.

En bas. Parallèlement au transfert des cannes par voie d'eau sur des chalands et des remorqueurs, les locomotives assurent aussi dès la fin du XIXᵉ siècle l'approvisionnement des moulins des centrales de Beauport, Blanchet, Darboussier…

CRISES SUCRIÈRES, CRISES POLITIQUES

Si le décret d'abolition ouvre un nouveau chapitre dans l'histoire de la colonie et préfigure de profondes métamorphoses institutionnelles et politiques, le paysage économique reste immuable au lendemain de l'émancipation. Le complexe de l'habitation-sucrerie et la distinction implicite de couleur de peau qu'il génère continueront à organiser, voire à verrouiller, la société créole jusqu'à ce que les crises sucrières compromettent les équilibres fondés sur le monde de la plantation. Malgré la reconnaissance des principes d'égalité et de liberté, les modèles archaïques, l'arsenal des arbitraires coloniaux auront encore de beaux jours grâce à l'immigration des *Congos* et des Indiens, derniers acteurs de l'économie sucrière. C'est en fait sous la IIIᵉ République que l'on verra véritablement écla-

ter les structures et les clivages traditionnels et se mettre progressivement en place les composantes parfois conflictuelles et explosives de la Guadeloupe moderne. Timidement amorcé en 1848, le processus de « décolonisation » va s'accélérer par l'application des lois constitutionnelles votées en 1875. Sur fond de revendications sociales et de rivalités raciales, assimilation et intégration deviennent, à des degrés divers, les maîtres mots du discours politique dominant. L'accession d'une bourgeoisie de couleur à la scène politique locale et nationale, aux nouvelles responsabilités administratives de la fonction publique permet des promotions, des cohabitations jusqu'alors impensables. Dans cette première abolition des préjugés, l'ouverture, malgré les polémiques, du lycée Carnot en 1883 participera à l'édification de la société postesclavagiste. L'instruction publique

devient une courroie de transmission privilégiée des valeurs républicaines et favorise l'émergence des figures symboliques comme Gaston Gerville-Réache, Hégésippe Légitimus, Achille-René Boisneuf…, qui hanteront l'arène politique jusqu'au début du siècle. Au-delà des tensions, des rivalités et des antagonismes de classe ou de couleur, ces hommes stigmatisent la réalité de l'application des principes libéraux et démocratiques à la colonie. Dans le sillage de la métropole, les Antilles, dans leur cadre administratif toujours spécifique, s'amarrent inéluctablement aux avancées progresistes de la République. Aboutissement logique de l'extension des réformes législatives et institutionnelles à l'outre-mer, la loi de 1946, loi de départementalisation, viendra sédimenter un édifice social et culturel conçu d'après les plans et les modèles de l'intégration.

En haut. Dans la coupe manuelle pratiquée au coutelas, une dizaine de *bouts* de canne sont amarrés en *paquets*.

Ci-dessus. Depuis les antiques moulins à bêtes, l'industrie sucrière ne cesse d'améliorer ses techniques et d'accroître ses capacités de broyage. Rolles du début du XXe siècle.

Entre les valeurs sûres du rhum vieux, du rhum agricole et du sucre de canne, des produits à valeur ajoutée comme les punchs fruits, destinés à la clientèle touristique, tentent de participer à la survie de la filière canne-sucre-rhum en crise depuis le début du siècle.

Page de droite. Du tafia des flibustiers de la Caraïbe à la soupière de punch flambé en vogue dans la France du XIXᵉ, le rhum, en trois siècles d'histoire, connaîtra bien des métamorphoses.

À peine affectée par la désertion des esclaves, l'économie sucrière fonde ses espoirs d'expansion sur l'immigration. Ultime voyage des Africains de la côte occidentale, des Indiens d'un Orient séculaire et lointain, engagés cette fois par contrat. De la *Stella* ou de l'*Amélie* débarque une population de parias, qui vivra longtemps dans un monde parallèle, imperméable aux idéaux républicains; l'essor de la production agricole doit autant à cette main-d'œuvre qu'aux améliorations culturales et technologiques favorisées par de nouvelles institutions financières. Dans cette stratégie moderne, la plantocratie traditionnelle cède ses prérogatives au pouvoir usinier, les habitations-sucreries s'effacent devant les centrales. Révolution industrielle qu'accompagne une révolution mentale et rompt de manière irréversible les anciens rapports de castes. Dans les luttes à venir issues des différentes crises sucrières de la fin du siècle, l'appropriation du capital par une prétendue élite blanche et son corollaire, la soumission des

masses au travail, seront durement contestées. Tandis que, d'accalmie provisoire en dépression, les aléas climatiques et les conjonctures économiques défavorables précipitent l'économie sucrière vers son déclin, dans l'univers disparate de la canne, du planteur à l'ouvrier agricole, la conscience politique s'aiguise et le mécontentement gronde. La colère embrase des incendies dans les cannaies et témoigne d'une volonté de révolte contre la fatalité de la misère relayée par les partis politiques. Le conseil général, bastion des usiniers où domine la figure d'Ernest Souques, inséparable des destinées des centrales de Darboussier et de Beauport, se voit investi, à partir des années 1880, par une bourgeoisie de couleur. Dans les débats parlementaires comme dans les assemblées locales, elle se revendiquera de l'idéologie républicaine pour réclamer l'application des réformes libérales. Largement bénéficiaire des avancées démocratiques, notamment en matière d'instruction, cette bourgeoisie de couleur en quête d'intégration exercera une domination provisoire sur la scène politique. L'accomplissement de certaines promotions au sein de la population noire viendra brouiller et complexifier le jeu des partis, qui ne dédaignent pas les alliances fragiles ou paradoxales lors des élections des édiles. L'entente Capital-Travail, réalisée au début du siècle dans un grave contexte de crise, dit autant cette volonté de briser les velléités des mulâtres au monopole de la représentation politique que de réduire l'intensité du malaise social. Elle indique aussi cette disparité de tendances,

syndicale, une diffusion enfin des idées, voire des polémiques orchestrées par les journaux porte-parole des partis, le cadre politique prend une autre dimension, même si l'opinion publique arbitre davantage des conflits de personnes que la légitimité des doctrines. Dans l'intervalle des luttes acharnées, qui prennent la forme d'affrontements physiques entre les partisans d'Achille-René Boisneuf et ceux de Légitimus et ne reculent pas devant la fraude, le recours aux *mamans-cochons*, la violence ponctue aussi la vie sociale, des fusillades mortelles ensanglantent même la grève de février 1910. Au final, c'est le courant libéral et radical, représenté par Achille-René Boisneuf, qui sera bénéficiaire du discrédit progressif des socialistes. À la veille de la Première Guerre mondiale, où la conscription issue du principe de citoyenneté s'applique à la Guadeloupe, le paysage culturel et politique aura profondément changé.

La nouvelle bourgeoisie noire ou mulâtre, en quête de promotion sociale, a tissé de nombreux liens avec la France par le biais de différents secteurs de liaisons comme le fonctionnariat, symbole et modèle d'intégration. Elle en adoptera les signes, parfois jusqu'à la caricature et au reniement de la culture originelle : complet-veston et mépris du créole. L'assimilation, à laquelle résistent les Blancs-Créoles, par tradition coloniale, comme le prolétariat, qui profite inégalement des bénéfices progressistes, aura aussi comporté sa part d'aliénation et généré des clivages internes dans la société guadeloupéenne.

qui vont du conservatisme usinier aux formes modérées ou radicales du républicanisme, voire au socialisme. Favorisée par les divisions des républicains de diverses obédiences, par des rivalités qui opposent, par exemple, Gaston Gerville-Réache à Alexandre Isaac, cette dernière idéologie, accompagnée de la montée du syndicalisme dans le monde agricole, facilitera l'irruption des Noirs dans un contexte économique dégradé. Plus tard venus au banquet des libertés et de l'assimilation offertes par la IIIe République, ils n'en deviendront pas moins des acteurs essentiels avec, à leur tête, la figure charismatique d'Hégésippe Légitimus.

Dans cette période charnière comprise entre le XIXe et le XXe siècle, la faveur du leader noir auprès du prolétariat se mesure à sa capacité à faire aboutir les revendications assimilationnistes, à accorder la vieille colonie au rythme des évolutions métropolitaines en matière d'avantages sociaux et matériels. Par une plus grande participation électorale, une meilleure représentation

LE TEMPS DES CONFLITS MONDIAUX

La dernière page du siècle se tourne dans un contexte de crise économique et sociale où les joutes électorales enflammées propagent leurs violences chez les ouvriers agricoles. Au terme de la spirale classique manifestation-répression, on déplorera des morts à Petit-Bourg et à Sainte-Marthe après la « paix des champs » provisoire qui suit la débâcle de 1902. Le bruit des armes du premier conflit mondial répercutera son écho funèbre dans cette époque houleuse, qui se poursuit pourtant sans mutation exemplaire jusqu'à la date historique de la départementalisation, repère majeur du calendrier guadeloupéen. Jusque dans les modestes communes, les monuments aux morts vont affirmer pour la première fois la reconnaissance de l'Antillais comme citoyen de plein exercice. C'est dans la tourmente de cette guerre que la loi de 1889 prend effet... Mémorable souvenir, encore évoqué par les anciens dans les veillées : le froid des Dardanelles, la curiosité des villageois de Verdun à l'égard de ces Français insolites de l'outre-mer qui apportent le soutien inconditionnel de la Guadeloupe à la mère patrie. Loin des pluies de fer et de feu de la Grande Guerre, l'île continuera à participer au ravitaillement de la métropole pour le sucre et le rhum, qui constituent alors l'armature de sa production. Après une longue période de transformations sociologiques et politiques qui accompagnent les lentes métamorphoses de l'économie de plantation, la Guadeloupe connaît en effet une relative période de prospérité que le poids de la guerre ne tarde pas à altérer. La pénurie des importations, prétexte à toutes les hausses et manipulations commerciales, manifeste déjà les signes de l'irrationalité et les limites d'un système économique fondé sur la monoculture. Les tentatives en matière de productions vivrières et maraîchères n'offriront à la fin de la guerre qu'une timide résistance à la reprise du commerce international... À cause des blocages de la société coloniale sur son unique culture spéculative, la canne à sucre, la Guadeloupe ratera un précieux rendez-vous de développement.

Cahier nº 38. — La GUADELOUPE.
Un Morne. — Plantation de Canne à Sucre.

Avec une complaisance exotique, l'iconographie coloniale exalte l'œuvre civilisatrice de la France.

Page de droite. En marge des évolutions contemporaines, certaines images résistent à l'acculturation et à l'oubli, et continuent d'imprégner le pays réel.

Néanmoins, malgré privations et sacrifices, la guerre impose une forme de statu quo obligé aux forces sociales et ne fait que surdéterminer les problèmes locaux. Les différentes grèves issues du mouvement ouvrier qui émaillent l'entre-deux-guerres les mettront en lumière. Alors que les conflits de race s'estompent sur le front commun de la contestation sociale, et que se désagrège l'entente patriotique sur le plan politique, la classe ouvrière antillaise conforte son

organisation syndicale et instaure, par l'intermédiaire de ses revendications, de nouveaux rapports de force entre la puissance de l'usine aux mains des sociétés métropolitaines et le monde disparate de la canne. Du colon aux *casiés* ou aux enfants qui sarclent les *ti bandes*, les situations et les intérêts sont divers, mais le mécontentement général. D'autres corporations : charbonniers dont les mannes remplissent les soutes des trans-atlantiques en rade de Pointe-à-

Pitre, ouvriers du bâtiment, de l'é-lectricité, qui participent à la nou-velle politique des grands travaux, orchestrent des revendications sur les thèmes majeurs de l'augmenta-tion de salaire et des conditions de travail. Mais au-delà de ces mou-vements sociaux, le gouverneur aura également à arbitrer les scandales électoraux et les anta-gonismes violents entre les ténors de la vie politique : Boisneuf et Candace. Le courant socialiste réinvestit le devant de la scène et,

À l'épreuve du temps et des cyclones, le bâti traditionnel va aussi subir les métamorphoses de la modernité, même si, après la dictature du béton, les architectes tentent de s'inspirer de l'ancien modèle de la case créole.

au lendemain de la célébration du tricentenaire de la colonisation, Félix Éboué viendra cristalliser toutes les attentes de la gauche. La nomination d'un Noir comme gouverneur constituera, aux yeux de l'opinion guadeloupéenne, un symbole de la fraternité républicaine et donnera au pouvoir colonial un atout maître. C'est d'ailleurs sur ce mode de la solidarité de la couleur que Félix Éboué, apôtre du dialogue et de l'entente, interpellera la classe laborieuse dans les conflits qui l'opposent au patronat. Sans pouvoir mener à terme, faute de moyens, un programme social inspiré des ambitions du Front populaire, il dressera un état des lieux qui a aujourd'hui autant valeur d'indice sur les retards de la colonie en 1936 que sur ses perspectives d'expansion économique. C'est dans un climat d'intrigue et de disgrâce politique que s'achève, deux ans plus tard, sa carrière de gouverneur à la Guadeloupe. Aux cris de « Vive papa Éboué ! », tout un peuple massé sur les quais de la Darse accompagne celui qui

rêvait d'un véritable programme de développement dans un contexte électoral débarrassé de la fraude et du brigandage. Nommé au Tchad, premier territoire à se rallier à la France libre, son patriotisme, sa résistance à la barbarie nazie en feront un allié essentiel de la Seconde Guerre mondiale tandis que la Guadeloupe vivait sous la coupe du régime de Vichy représenté par l'amiral Robert. Dans ce tournant de l'histoire, dans ce sombre maquis où résistants et collaborateurs vont imposer des fractures durables et traumatisantes pour la cohésion nationale, l'île, abandonnée de sa métropole à cause du blocus militaire et livrée à l'administration du gouverneur Sorin, innovera des stratégies de survie obligée. Référence nostalgique à une autarcie aussi conjoncturelle qu'irrémissible, le *tan Sorin* et les dures privations qu'il instaure participent pourtant d'un modèle de référence collective qui féconderont le mythe de l'autosuffisance. Dans l'horizon trouble de la guerre et sans emprunter les itinéraires balisés par la Résistance française faute d'une occupation effective, certains Antillais, inquiets des dérives potentielles d'un pouvoir fascisant et ségrégationniste, ont leur part de martyre au titre d'une dissidence originale. Partis vers les îles anglaises pour rejoindre les Forces françaises libres à Cassino ou à Royan, ces opposants à la restauration d'un ordre colonial et raciste s'inscrivent dans la continuité historique des insurgés de 1802 et participent à la sauvegarde de la patrie, de la civilisation en danger de barbarie germanique.

LES AMBIGUÏTÉS DE LA DÉPARTEMENTALISATION : LUTTES ET REVENDICATIONS IDENTITAIRES

Ralliée à la France libre en 1943, la Guadeloupe retrouve sa solidarité patriotique originelle. Les supporters privilégiés du régime pétainiste n'auront pu désarmer cette manifestation de l'attachement privilégié aux valeurs républicaines qui s'oppose systématiquement à une autorité réactionnaire. C'est dans cette même volonté émancipatrice qu'après la Libération, en 1946, intervient la reconnaissance de la citoyenneté intégrale des Antilles, manière de concrétiser le désir ancien d'une adhésion totale au cadre législatif de la République. Fruit de lentes évolutions politiques, la loi de départementalisation est l'aboutissement logique, la conséquence juridique attendue des sédimentations successives qui ont amarré les Antilles au destin de la France. Mais l'intensité des débats, sur lesquels pèsent la personnalité d'Aimé Césaire, rapporteur du projet à l'Assemblée, et les réticences de Paul Valentino, député socialiste dont les convictions nationales au début de la guerre sont indiscutables, manifestent déjà par de multiples amendements la complexité et les ambiguïtés de l'application de la loi à la vieille colonie. Les contraintes structurelles, les réalités sociales et culturelles ne tarderont pas à faire apparaître les limites de la revendication assimilationniste que la classe politique se gardera bien de magnifier dans les années qui suivront. S'il est clair que l'in-tégration des Antilles à l'ensemble national a constitué une solution à la promotion du développement, la départementalisation a également mis en lumière des dangers d'aliénation et de dépendance. Ses heureuses conséquences sur le plan de l'amélioration des conditions de vie ne masquent pas ses échecs au sein d'une population en quête d'identité et de responsabilité politique. Devenue département, la Guadeloupe ne vit pas pour autant résolus ses problèmes économiques et sociaux du fait de la polarisation de sa production agricole sur deux secteurs fragiles et concurrencés – la canne et la banane – et du constant décalage, voire de la discrimination, dans l'application des lois. Difficile dans une économie en porte-à-faux de relever le défi des inégalités entre beaucoup de déshérités et quelques privilégiés quand la philosophie de l'outre-mer se borne à appliquer une stratégie d'assistance et de subventions. De vives amertumes succéderont aux premiers enthousiasmes, et l'île connaîtra une vie politique extrêmement mouvementée, une situation souvent explosive et de fortes tensions, qui génèrent de nouveaux clivages et opposent les partisans du statut de département à ceux qui réclament un changement institutionnel. La revendication de l'autonomie sera largement orchestrée par le Parti communiste guadeloupéen et relayée plus tard par diverses luttes de libération nationale dans des mouvements comme le GONG (Groupe d'organisation nationale de la Guadeloupe) ou l'ARC (Alliance révolutionnaire caraïbe). Ce réveil de la conscience nationale,

Signe des temps, l'ancienne maison de l'usine Darboussier (page de droite en bas) abrite aujourd'hui un musée littéraire tandis que la prestigieuse Transat n'assure plus que les transports de marchandises (en haut).

Médaille commémorative du bicentenaire de la fondation de la ville de Pointe-à-Pitre (1755-1955).

initié par les « patriotes guadeloupéens » qui veulent abolir les structures colonialistes, ne se fera pas sans drames : grève très dure et sanglante de *Mé 67*, bombes et attentats des années 1980. Aujourd'hui où la violence et le radicalisme des différents courants de l'opposition semblent désamorcés, beaucoup de voix politiques s'élèvent pour critiquer les insuffisances de la décentralisation. L'application stricte des cadres administratifs et institutionnels, l'assimilation économique et financière génèrent des

dysfonctionnements, redoublés par l'intégration des DOM au Pacte unique européen. Mais, malgré malaises et déchirements, de nombreux signes plaident pourtant en faveur d'une réconciliation des Antilles avec elles-mêmes. Assumée, cette nouvelle image déterminera des choix de développement adaptés aux réalités locales, d'autres équilibres, la confiance surtout des administrateurs et la lucidité des politiques. Le dépassement des complexes et des tabous, la richesse d'un patrimoine singulier, les véritables atouts d'une culture métisse et créole sont autant de facteurs susceptibles d'interpeller les instances régionales et de fonder de nouvelles perspectives. Elles s'inscrivent inévitablement sur les particularismes imposés par les données économiques, l'éloignement géographique et les séquelles de l'histoire.

Absorbés par les chapitres majeurs de la grande histoire, certains épisodes de la vie guadeloupéenne méritent pourtant de figurer dans ses annales. Ils s'inscrivent de manière légitime dans la trame de ses bouleversements et de ses ruptures comme le capital symbolique ou les références propres à la communauté antillaise. Sur la frange de ces déchirures intimes, le fragile patrimoine de l'architecture créole réchappé des cyclones manifeste aussi, de la case en bois à la grand'case du planteur, des maisons de ville aux bâtiments coloniaux, les clivages archaïques d'une société pluriethnique. Rencontres aléatoires accomplies sous l'impérieuse domination des champs de canne, matrices aussi d'une diversité raciale toujours hantée par la mémoire de ses sombres exils. Même si la modernité économique abolit les rituels du monde des plantations, les mentalités comme le paysage restent marqués des symboles de l'empire sucrier.

MÉMOIRES CRÉOLES

Caractérisée par l'architecture métallique, l'esthétique industrielle du XIXᵉ siècle s'exprime surtout à l'habitation Zévalos dans les balustrades ouvragées et le recours au zinc et au fer pour le second œuvre. Une solution de remplacement des matériaux du bâti traditionnel, sensibles aux incendies et aux séismes.

En arrière-plan des signatures de traités et des décrets et, derrière l'épreuve des faits, générateurs de réformes et de mutations, des expériences révélatrices de l'esprit d'une société et des mentalités nuancent la fresque qui embaume la mémoire collective. Ces modestes séquences échappent aux commémorations et aux épigraphes pour baliser les archives privées de l'île.

Au rang des repères significatifs, les cérémonies du tricentenaire du rattachement des Antilles à la France, célébrées par des festivités solennelles, indiquent, malgré leur complaisance exotique, cette volonté de liens privilégiés avec une métropole aussi lointaine que fantasmatique en 1935. Les dépêches enthousiastes, les illustrations naïves de l'époque exaltent l'œuvre civilisatrice de la mère patrie comme les charmes de la colonie. Paillettes de défilés collées sur la misère des *lakou*, biguines ou quadrilles orchestrés par Stellio réaffirment des liens indéfectibles et rythment l'espérance de la décolonisation par l'intégration. Une grande illusion masque encore les débats à venir sur le statut de la Guadeloupe dans l'ensemble national et les

réticences des édiles à une assimilation systématique du futur département dans la négation de son identité culturelle, sociale et politique. L'heure est encore au mirage d'une réconciliation fondée sur l'amnésie générale… Dans les aventures humaines partagées par une génération figurent aussi les vagues migratoires et les exils des années 1960. Déterminés par la dégradation des conditions socio-économiques de l'île, les départs massifs organisés par le BUMIDOM (Bureau des migrations des départements d'outre-mer) seront l'occasion de confrontations douloureuses entre la France imaginaire et la France réelle. Dans la grisaille des banlieues de la Seine-Saint-Denis, l'Antillais, souvent assigné aux travaux subalternes de la fonction publique, apprend que son statut d'enfant légitime n'empêche pas la discrimination réservée à l'émigré. Au fil du temps, le mythe du retour prendra pour les candidats à la traversée le relais du mythe du départ… De douloureuses adaptations s'accomplissent d'un bord à l'autre, pour

dépasser déchirures familiales et complexes identitaires. Dans le nouvel archipel de l'exil, des réponses à l'expatriation s'inventent par des enracinements qui transforment l'émigration en diaspora. Musiciens, auteurs à succès, créateurs en tout genre se réapproprient, après des décennies de silence, leur culture, leur histoire, et prouvent que la France, multiple et composite, est belle, quoi que certains veuillent en faire. Si Paris chante aujourd'hui derrière les *ti-bois* et tambours du carnaval de l'outre-mer, pourtant rien n'est encore acquis pour une communauté soucieuse de reconnaissance après bien des aliénations et des reniements… Parmi les inventaires aléatoires de la mémoire se détachent aussi quelques clichés sépia, témoins de ce jadis et naguère des longues traversées à jamais disparues. Paquebots des migrations de l'espoir, des voyages d'études comme des congés de fonctionnaires, l'*Antilles* et le *Colombie* vont longtemps assurer tous les échanges et construire la légende de la Compagnie générale transatlantique. Récits de voyages, photographies, un daguerréotype nostalgique fixe les attentes et les manques, imposés par 7 000 kilomètres d'océan. Aujourd'hui, seuls les bananiers et les cargos naviguent encore de Pointe-à-Pitre au Havre. Ils croisent toujours le sillage de ces grands voiliers qui rêvent de réinventer l'isolement et la solitude de l'île. La Transat des Alizés et la très médiatique Route du Rhum viennent aussi à la rescousse des mythologies de la mer associées à l'espace caribéen. Il n'aura fallu qu'un demi-siècle

Le sentiment d'être antillais est irréductible au simple clivage Blanc/Noir.

En haut. La Darse en carte postale au temps de la Transat. Collection C. Mas.

après la longue épopée de la marine à voile pour décloisonner l'arc antillais, abolir les distances réelles ou imaginaires imposées par l'insularité, les fantasmes et les peurs de l'autre et de l'ailleurs. Depuis que l'aéronautique a ouvert le ciel des Antilles, *jambé-dlo* pour tenter sa chance dans les villes de l'autre bord n'est plus une aventure majeure. Les rotations permanentes des Boeing, successeurs des antiques Latécoère et Catalina, l'amélioration des infrastructures aériennes ont désacralisé les cérémonies des adieux et démystifié l'image de l'île lointaine. Ignorés par les jeunes générations indemnes de toutes ces expériences, ces souvenirs encore scellés dans la mémoire des anciens sont peu à peu refoulés, recouverts par les réalités du présent. Mais de tous les chavirements passés, de toutes les métamorphoses en gestation, une permanence demeure : le cyclone qui frappe depuis des siècles les îles en plein cœur. Il a sa saison : septembre ; et ses rituels : cases barricadées derrière l'espoir d'être épargnées, attentes des signes du paysage, lourde veillée dans l'égrenage compulsif des chapelets, dans les oscillations de l'énergie et du désespoir... Certes, les progrès de la prévision limitent aujourd'hui la catastrophe humaine qui meurtrit en 1928 la Guadeloupe épouvantée, mais David et Hugo surtout ont, dans leur apocalypse, saccagé les illusions de la modernité et obligé les hommes à reprendre la mesure du précaire. On recloue les tôles, on sèche les matelas, mais personne n'oublie, la mémoire veille sur ses sombres archives... Dans les autres fureurs venues de l'Atlantique figurent aussi les déchaînements fantasques du séisme et de l'éruption. La Basse-Terre, traumatisée par les cendres et par les explosions de la Soufrière dans les années 1976-1977, reste toujours sous surveillance et fixe son regard sur le volcan qui réprime sa violence. Malgré la résistance des êtres aux tragédies collectives, l'île est souvent ramenée à une vulnérabilité masquée par des images de paradis.

Édifiées sur la violence du fait colonial, les communautés antillaises sont issues des déportations et des errances de différents peuples. Terre de passage et de transit davantage que d'enracinement, la Caraïbe est ce lieu de rencontres et de heurts d'horizons étrangers qui s'imbriquent et se confondent aujourd'hui dans la réalité créole. Fondées sur des migrations européennes, africaines ou indiennes, ces modalités de peuplement ont dessiné des traits multiculturels que la modernité tend à métisser. Mais, même atténués par les mutations économiques et politiques ou par des fusions imprévisibles, les clivages hérités du système esclavagiste restent encore visibles dans les diverses strates de la société guadeloupéenne. Identités forgées sur des ruptures et des exils, destins hantés par le grand ancêtre africain et dérives aventureuses participent d'une mosaïque complexe, où la question de la couleur est une référence inévitable. Dans ce labyrinthe de représentations et d'imaginaires, la problématique de l'identité véhicule aussi, entre pays réel et pays rêvé, ses interrogations. Sans doute, les réponses sont-elles dans l'existence de ces processus de créolisation qui, par fécondations successives, recomposent et dilatent inlassablement le paysage culturel. Des populations très hétérogènes, dépositaires de mémoires et de signes parfois opaques, ont engendré ces modes pluriels où convergent les traces de ces passés multiples. Symbole de la disparité mais aussi de la connivence de ces différents mondes, le créole, issu de rencontres et de marronnages linguistiques,

unifie et sédimente les relations entre ces hommes venus de divers continents, mais aujourd'hui solidaires de leur insularité composite. Premiers colonisateurs de l'arc antillais, les Amérindiens, malgré leur farouche résistance, durent céder la place aux Européens. Décimés par les violences et par les maladies apportées par les engagés, ils leur transmirent néanmoins un héritage capital, héritage trop vite dérobé, sinon pillé par ces émigrés de la misère des ports français. Séduits par les promesses de fortune des armateurs recrutent au nom de la Compagnie des engagés par contrat de trente-six mois pour fournir l'essentiel du contingent de Blancs qui s'implantent aux Antilles. Dans les premiers convois figurent aussi des cadets de famille, et quelques personnes assez aisées pour traverser l'Atlantique avec armes, bagages et domestiques. Les filles de l'hospital Saint-Joseph assureront l'avenir immédiat du peuplement…
Témoins de ces expéditions aventureuses, les missionnaires comme le père Breton ou le père Du Tertre

consignent dans leurs ouvrages les vicissitudes et les malheurs de l'installation aux îles de la colonie française relativement soudée par une même vie de misère. L'introduction des Africains va irrémédiablement oblitérer la prédominance des Blancs et instaurer des rapports de classes racialisés et fondés sur le système de l'esclavage. De l'intensification de la traite, liée au développement de la culture de la canne, naîtra cette société de plantation commune aux pays de l'Amérique tropicale. Un monde où la richesse de l'habitant se mesure en termes de bras serviles comme l'attestent les inventaires des habitations-sucreries qui déclinent, sur les mêmes registres, le nombre d'esclaves et de bêtes. L'exploitation des terres à sucre aura pour tragique corollaire l'assujettissement de tout un continent. D'Afrique centrale et australe, d'Afrique de l'Ouest et du golfe de Guinée, des ethnies de toutes langues et de toutes religions, razziées et vendues dans les comptoirs européens, s'entassent dans l'île de Gorée pour remplir les cales des négriers. Aux hécatombes du voyage succèdent les ravages mortels de la vie dans les ateliers d'esclaves. Pénurie endémique que le commerce triangulaire tente de compenser, puisque l'esclavage est une institution officielle régie par le Code Noir. Favorisée sous l'occupation anglaise, l'importation du *bois d'ébène*, souvent relayée par l'interlope, connaîtra des fluctuations et des fortunes diverses, suffisantes néanmoins pour assurer la base du peuplement actuel. Dans la tragédie de leur déportation, les Africains auront néanmoins emporté des

Page de gauche. Le *melting pot* tropical s'affranchit des masques et des préjugés de la couleur.

En haut à gauche. Le port du salako, emblème de l'identité saintoise.

En haut à droite. Le syncrétisme religieux accueille aussi le panthéon indien au temple de Changy malgré le catholicisme imposé à une majorité d'« intouchables » venus de Pondichéry ou de Calcutta.

Dans la logique économique de la traite négrière : la vente des Africains.

fragments du pays perdu qui pèsent sur l'identité antillaise. Grâce au bénéfice de cette manne servile, la population blanche des îles, aux origines sociales plus disparates depuis le tarissement de l'immigration contractuelle, construira, quant à elle, des hiérarchies provisoires fondées sur la propriété des terres à cannes, du moulin à sucre et des cases à nègres. Mais l'arrivée de Victor Hugues, commissaire de la Convention chargé des promesses mensongères de la suppression de l'esclavage, va bouleverser un ordre dominé par les *grands habitants*, qui ne retrouveront jamais leur puissance économique, malgré l'apport de nouveaux immigrants au lendemain de l'abolition définitive de 1848. Les premières tentatives pour remplir les ateliers désertés par les affranchis apportèrent au peuplement des touches diffuses où se mêlent Européens, *Congos*, Chinois et Annamites recrutés par contrat, des populations presque anecdotiques au regard de la vague indienne initiée par le premier voyage de l'*Amélie*. Débarqués des comptoirs de l'Inde, des faubourgs misérables de Calcutta et de Pondichéry, les engagés connaîtront à leur tour le

déracinement, les rêves blessés et l'expérience brutale de la plantation. Aujourd'hui assimilés sur le plan social et économique, les *Zindiens* constituent un groupe ethnique toujours attaché à ses traditions.

Le temple de Capesterre-Belle-Eau et les pratiques sacrificielles de l'aube manifestent cette réalité de l'indianité dans le paysage culturel de l'île. D'autres nouveaux venus, Syriens et Libanais, attirés par les possibilités commerciales de Pointe-à-Pitre, s'ajoutent encore à la mosaïque des peuples guadeloupéens.

Seule la tribu des *métros*, fonctionnaires en poste contractuel dans l'administration ou les affaires, voire *Blancs gâchés*, attirés par le soleil ou les paradis illusoires, a du mal à trouver sa place dans un monde aguerri à toutes les rencontres et aux métissages imposés par l'histoire. Des mélanges souvent conflictuels, où la couleur de la peau tend à représenter un enjeu social, mais qui demeurent le signe particulier d'une culture faite de l'imbrication des mémoires exilées de toutes ces communautés mêlées par le sang ou par le partage d'une histoire.

Dans sa boulimie d'exotisme et ses attentes de belles demeures créoles, de cases typiques et de villes aux charmes baroques, sans doute le voyageur sera-t-il déçu par le succulent chaos de l'architecture guadeloupéenne. Un désordre établi, un carnaval rebelle aux harmonies du style et qui *court le vidé* derrière les masques imposés par le temps et l'espace. Dans le fil d'Ariane du paysage urbain ou rural, point d'unité, mais un foisonnement clandestin qui tisse au final une trame vivante et vulnérable… À découvrir en toute liberté, sans souci d'établir un improbable inventaire des modèles et des formes… Libéré de l'ambition d'un bilan académique ou de rencontres circonscrites au catalogue des beaux-arts, le regard, indulgent et ravi, s'accommode des vestiges militaires, de la splendeur passée des bâtiments coloniaux, des cases en bois, comme des façades lisses et banales. Dans cette perspective complice, des perles peuvent alors surgir du béton, des grilles en fer forgé, des cours intérieures paisibles contredire les disgrâces d'un immeuble, la courbe d'un balcon ou la frise d'un toit émerger d'une palissade en tôle. Richesses de ces hasards qui conduisent à prendre en compte la totalité des signes, la multiplicité des écritures et du vocabulaire de l'architecture antillaise. Si le bâti traditionnel constitue certes un patrimoine précieux et permet d'apprécier les traces du passé, les improvisations parfois malheureuses de certaines constructions disent aussi les distances prises avec l'histoire, la mémoire et les lieux. *Sans virer dos* aux héritages européens, aux lignes de force définies par le climat, les matériaux et la topographie, les villes et les campagnes ont écrit leurs manifestes et opéré leurs métamorphoses avec plus ou moins de bonheur. Mais les diverses factures s'accordent néanmoins à témoigner des catastrophes qui, hier, incendièrent les villes

Les *vidés* de carnaval, grandes occasions de défoulement collectif, se courent le mercredi des Cendres en noir et blanc pour enterrer *Vaval*, en rouge et noir à la mi-carême.

En haut à droite. Les maisons de maître célèbrent la permanence du monde créole ou l'avènement d'une nouvelle esthétique. Exclusivité du bois au Maud'huy, volutes en fer et motifs en fonte à l'habitation Zévalos.

Page de gauche. Selon les heures de la vie, l'architecture urbaine favorise les cancans sur le balcon en fer forgé, mais réserve aussi une part d'intimité.

portuaires ou firent trembler la terre et menacent toujours aujourd'hui de fracasser les toits, d'enrouler les tôles aux arbres comme des turbans, de mettre les cases et les cœurs à nu. Dans les champs de ruines laissés par les tremblements de terre et les cyclones se sont imposées des mesures d'urgence et de remise en état, voire des options raisonnées de reconstruction après le désastre de 1928. Les impératifs économiques et l'expansion des faubourgs ont dicté d'autres initiatives, qui se greffent aux architectures intimes de l'île et proposent une belle anarchie de styles et de tendances.

Basse-Terre, Pointe-à-Pitre, deux villes opposées par une rivalité farouche, deux modes de vivre et de penser contingents d'une histoire, d'une destinée qui fait de la première la mémoire de l'implantation de la colonie, de la seconde le témoin du développement économique.

À l'ombre silencieuse de ses administrations, la capitale sauvegarde sa primauté, défend le patrimoine architectural de ses paroisses et de ses quartiers vieillis par la patine de plus de trois siècles de fondation. Entre mer Caraïbe et massif montagneux, les casemates du fort Delgrès rappellent que l'île se rêvait en forteresse invincible. D'autres ouvrages militaires, comme l'arsenal aux grâces aujourd'hui paisibles, révèlent la trame originelle d'un bourg fortifié. Mais, au-delà de ses héritages coloniaux de caserne, d'hôpital, de prison et d'église toujours vulnérables au calvaire des séismes ou des ouragans et aux ravages des flammes, le vieux cœur de la ville, l'ancien quartier de Saint-François ouvert sur la rade, offre un florilège d'entrepôts et de maisons où se mêlent styles et modes de construction. Le bois et la pierre improvisent de savantes combinaisons, les lucarnes et les chiens-

Dans l'architecture rescapée du béton endémique, les variantes des toits, des façades et des ouvertures mêlent les souvenirs de la colonie et des provinces françaises à des manières de cases africaines. Hybridation des styles à l'image de l'âme mosaïque des Antilles, de ses exils et de ses errances.

Page de droite, en haut. La charpente métallique assure l'élégance de l'église Notre-Dame du Bon-Secours de Port-Louis sans démentir l'option traditionnelle d'une voûte en bois.

assis rivalisent de coquetterie pour ventiler les galetas des rues du Cours-Novilos ou Peynier. La tôle rouillée des toits, les persiennes à jalousie, les balcons en fer forgé se répondent en harmonie et donnent à ces rues parallèles à la mer la cohérence d'un bâti traditionnel. Caractère et unité s'attachent aussi à la très ancienne rue Christophe-Colomb, habitée par ses nostalgiques entrepôts. Mais, au-delà de l'imposante cathédrale, une fois passée la rivière aux Herbes, d'autres errances révèlent, au gré des ruelles, le quartier du Carmel. La ville s'enhardit, ouvre des lignes de fuite et s'offre, dans les profonds des paysages prisonniers des montagnes et libres sur la mer, des vertiges de style. Entre le Champ-d'Arbaud, le square Pichon, le lycée Gerville-Réache se devinent des séquences de vie, des gros plans d'existence articulés sur une topographie complexe. Selon les paliers, l'angle de la pente, la ville s'expose en places et en esplanades ou se resserre sur ses cours étroites. Dans les îlots anarchiques des toits dorés par le couchant se détachent les contours imposants d'une architecture autrefois décriée par les nostalgiques du bâti colonial. Issus de partis pris déterminés par le climat et par les matériaux contemporains, les édifices publics conçus par Ali Tur au lendemain du cyclone de 1928 superposent à la mémoire des vieilles pierres la réalité d'un vocabulaire moderne. Depuis ces innovations, d'autres bâtiments, comme ceux du Conseil général ou de la Scène nationale, composent des images fortes étayées sur des conceptions dissidentes des conformismes du style antillais. Ces inscriptions délibérées de l'urbanisme dans le présent se doublent d'une volonté affirmée de dynamisme culturel. Mais les réputations sont tenaces, et Basse-Terre, excentrée du cœur fiévreux de Pointe-à-Pitre, reste pénalisée par sa vocation administrative. Enlisée dans le lointain souvenir d'une opulence économique et commerciale, la ville, appliquée à valoriser son patrimoine historique, somnole sous un voile de quiétude tendu entre les rues étroites où le fer forgé des balcons continue de rouiller et une persienne ouverte de révéler les charmes intemporels de l'habitat créole.

À l'opposé de cette mélancolie nonchalante, la Pointe, lourde d'odeurs et de bruits, affiche une insolente liberté de styles dans les disgrâces des faubourgs et les séductions du vieux quartier portuaire. Si les cicatrices des catastrophes naturelles se sont coulées dans le béton, tandis que la rénovation urbaine renvoyait les *dalos,* les cases et les *lolos* au musée de l'histoire de la ville, l'impression d'un chaleureux bric-à-brac demeure. Le foisonnement des tendances architecturales éparpillées dans le tissu urbain propose de multiples clés, mais c'est de sa rade que Pointe-à-Pitre expose son vrai profil. De la mer, les images épicées de la Darse sont plus savoureuses et les ferrailles abandonnées de l'usine Darboussier plus significatives d'une gloire sucrière qui déterminera l'avenir d'une cité arrachée à l'insalubrité des marécages et à l'enfermement des mornes. Le Carénage a oublié la fumée des chaudières pour se reconvertir dans des brocantages malsains, mais l'ancien port des rêves transatlantiques a trouvé dans le petit commerce et dans les liaisons maritimes avec les Saintes et Marie-Galante un théâtre inépuisable d'effervescence. Une frénésie surchauffée dont les rythmes et les effluves se répandent dans le damier colonial posé sur les anciens marais. Dans le quadrillage étroit des ruelles, les fanfreluches, la dentelle des balcons, les frises des toitures tracent des lignes baroques jusqu'aux étalages des marchés. Sous la halle, les revendeuses de Saint-Antoine ou de Saint-Jules se réapproprient le folklore doudouiste des épices, des madras et des simples, délaissé par les pacotilleuses dominicaines qui parient sur l'avenir des combinaisons et des barrettes. Mais, dans cet arrière-pays du haut négoce, outre les vieilles maisons à étages et à galetas, archives citadines du *tan lontan,* quelques beaux bâtiments s'imposent à l'émotion. La facture composite de l'église Saint-Pierre-Saint-Paul, les grilles et les ombres roses du lycée Carnot, place forte de la mémoire politique de l'île, le ravissant escalier du musée Schœlcher, ses ouvertures ornementées, les balustrades harmonieuses de l'ancien musée l'Herminier amortissent les voix des *djobeurs* et le charivari de la ville. Malgré son architecture métallique et son cachet Louisiane, la maison Souques-Pagès, ancienne propriété de l'usine Darboussier, s'intègre

à ces belles échappées de l'imagerie créole. L'édifice conserve aujourd'hui les souvenirs éblouis de l'enfance antillaise de Saint-John Perse. Passées ces respirations nostalgiques, la ville reprend ses *toumblaks* et *lewoz* dans l'animation de la Darse. Les rythmes se propagent à la place de la Victoire, vibrante des *vidés* de carnaval, des partitions jaunies du kiosque à musique et de cancans éternels. La sous-préfecture, dont l'architecture traditionnelle et les couleurs rappellent l'esprit de l'ancien hospice Saint-Jules, la façade néoclassique de l'office du tourisme, le style un peu baroque du cinéma La Renaissance confèrent un charme incontestable à ce haut lieu de la vie pointoise. Une vie qui s'efface aux premières ombres du crépuscule. La ville flotte alors dans le silence et largue ses amarres avec les vieux entrepôts du quai.

LES EMPREINTES AGRICOLES

Consciencieux archiviste, le paysage, dans les ondulations monotones et hypnotiques des ultimes terres à cannes, accumule les traces de l'ancien empire sucrier. Chaudières Père Labat, moulins abandonnés, machines rouillées et centrales désaffectées dessinent la carte des antiques routes du rhum et du sucre. Dépendante de l'horizon sans fin des plantations, ce cœur de chauffe traditionnel de l'habitant, la vie antillaise s'est longtemps accordée aux cadences et aux rituels de la récolte et réglée sur les fumées des cheminées des centrales de Beauport, de Gardel ou de Grosse-Montagne. De ce mariage imposé avec le monde usinier et les impératifs agricoles sont nés des caractères de société forgés sur des expériences encore sensibles et des références obsédantes. Comme le carême ou l'hivernage, la campagne sucrière continue à inspirer des repères symboliques et des rythmes, malgré le naufrage annoncé de l'industrie de la canne. En crise depuis le début du siècle, la filière voit en effet sa souveraineté contestée et l'effacement progressif des acteurs capitaux de son histoire. Seules rescapées de ce règne archaïque fondé à l'origine sur le complexe de la maison du planteur et des cases à nègres, sur des hiérarchies dominées par le *géreur*, les dernières unités sucrières de Grande-Terre et de Marie-Galante habitent encore un pays façonné depuis les premiers moulins hollandais par les signes et les représentations de cet univers de sucreries et de distilleries. Certaines, à Baillif, au Moule ou à Montebello, parient toujours sur l'avenir du légendaire tafia des pirates, l'arôme corsé des rhums agricoles, la robe ambrée et le goût du rhum vieux. Amateurs ou initiés, les adeptes du *ti-punch* ou du planteur rivalisent avec les familiers des débits de boissons, consommateurs de flots impressionnants de *sec* et de *feu*. Pour assurer les productions sucrière et rhumière, d'amples champs de cannes amarrent les sections rurales du Moule et de Saint-François, les régions du Lamentin et de Sainte-Rose, aux racines de la plante. Des lieux enclos aux gestes d'hier : un sabre qui dépaille la pièce de canne, des tracteurs en file devant la balance, un univers borné aux exigences et aux attentes d'une bonne récolte, des images échappées du grand livre de l'histoire des Antilles. Au chapitre de cette mémoire, le musée du Rhum de Bellevue évoque les techniques culturales et les procédés de fabrication de la *guildive* des îles à sucre depuis le temps des vinaigreries originelles. Dans cet album de souvenirs collectifs se rallument les saisons en enfer dans la chaleur des appareils à cuire et le bruit des moulins. À la

Boucan, c'est l'antique roue à aubes du domaine de Séverin qui raconte un aspect de la technologie antérieur à la révolution de la vapeur et à l'apparition des premières centrales. Entre les lignes du temps se lisent la fragilité des cultures exposées aux ravages des cyclones, les mutations provoquées par l'abolition du travail servile, les convulsions liées à la chute des cours ou aux crises du change et les hypothèques que font peser les lois de la concurrence et du capitalisme sur l'avenir d'une production héritée des spéculations et des intérêts coloniaux.

Mais, bien avant l'exploitation intensive de la canne, les maîtres d'habitations avaient déjà parié, comme dans toute l'Amérique tropicale, sur des stratégies d'exploitation fondées sur des mythologies d'épices et de denrées exotiques. Aux premiers temps de la colonie, les ateliers d'esclaves de la Guadeloupe fournissaient déjà aux négociants de l'indigo, du coton ou les saveurs amères du cacao et de la vanille. Cultures artisanales et délicates, vite détrônées par la fièvre du sucre…

Réfugié sur les pentes abruptes de la Basse-Terre, seul le café continue une courageuse résistance, après avoir fait l'éphémère fortune des planteurs de la Côte sous le Vent. D'autres productions traditionnelles de la terre caraïbe mêlent aussi leurs racines pour alimenter les marchés. Ignames de toutes variétés, madère, malanga se partagent avec les piments et les ressources du jardin créole les étals des revendeuses. Mais ce sont les bananeraies qui représentent la plus sérieuse alternative à l'ancien empire de la canne.

Tapissés de feuilles vernissées, les coteaux et vallées de la Basse-Terre déroulent sous la course des nuages d'immenses étendues. Derrière les brise-vent plantés en *sandragon* s'étend la ligne ondoyante des plantations, soulignée par le bleu des sacs de plastique où mûrissent les bananes. Des champs aux hangars, des soins patients accompagnent les métamorphoses de la plante dont la tige s'alourdit d'une curieuse fleur violette. Sur les contreforts des montagnes, de nombreuses qualités rustiques, tour à tour fruit ou légume, offrent de savoureuses variations à la cuisine antillaise.

À Capesterre-Belle-Eau, la plantation Grand Café témoigne de la reconversion de la région à la culture bananière et présente une riche collection d'espèces dont les plantains sont sans doute ici les plus appréciés. Mais l'essentiel de la production traverse l'Atlantique sur le *Fort-Fleur-d'Épée* ou le *Fort-Royal*, successeurs des cargos bananiers, autrefois porteurs des espoirs de toute une profession, aujourd'hui consciente des limites de cette nouvelle monoculture. Au retour des coups de vent de septembre se raniment le spectre de l'effondrement de tout un secteur, les angoisses des cyclones ravageurs qui couchent les arbres et sinistrent ce monde rural déjà menacé par la concurrence de la banane « dollar ». Très subventionnées, la canne et la banane maintiennent toutefois de fragiles équilibres sociaux, tandis que les capitaux privés investissent dans les biens d'importation. Sur les anciennes terres à canne fleurissent les hypermarchés de Destrellan et les entrepôts de Jarry, dans la superbe ignorance des handicaps et des problèmes économiques liés à l'exclusive des traditions agricoles.

En haut. Dans les procédés de fabrication comme dans les pratiques culturales, les machines effacent les modèles archaïques du moulin et du coupeur de canne.

Page de gauche. Les botanistes du roi représentent volontiers dans leurs inventaires la canne, introduite dans le Nouveau Monde par Christophe Colomb. Une plante qui façonnera le paysage de la Guadeloupe et la destinée de son peuple.

Longtemps asservies aux valeurs et aux modèles européens, les belles-lettres créoles réfractent aujourd'hui la diversité des espaces et des langages offerts à l'imaginaire par la Caraïbe et les Amériques noires. Dans ce défi à l'appropriation des lieux et des histoires et, au-delà de l'aller simple Afrique-Europe, s'élabore sans conclusion définitive le roman de toute une diaspora. Dans le silence des ateliers, d'autres chapitres artistiques s'aventurent dans l'expérimentation des formes et des couleurs pour fonder des pratiques esthétiques sensibles aux influences qui dessinent la mosaïque créole. Mais, en marge des productions des écrivains et des artistes où résonnent aussi les rythmes et les voix caraïbes dans la création musicale, la culture populaire emprunte à des mémoires plurielles ses traditions et ses croyances. Les archives privées de l'île comme les saisons de la vie imposent toujours leurs cérémonies et leurs rituels au calendrier officiel.

Allégorie de l'esclavage (bourg de Trois-Rivières).

LES COULEURS
DE LA CULTURE

Écrire en pays créole, c'est souvent appréhender de nouveaux modes romanesques ou poétiques et inventer des structures narratives originales. Genèse particulière des œuvres élaborées dans la variété des expériences, dans la mise en relation d'un monde pluriel avec des imaginaires singuliers… Malgré de subtiles convergences issues de la fréquentation d'un même pays et le partage des mêmes archives, la profusion des thèmes et des histoires comme l'enfantement des mots et des images disent les versions multiples de l'antillanité ouverte à toutes les formes d'écriture. Écritures métisses, libérées des références anciennes d'un discours forcé par les impératifs de l'identité. L'encyclopédie littéraire d'ici accueille sans discrimination la louange nostalgique de la plantation du poète Saint-John Perse, l'exaltation de la négritude qui hante les *Balles d'or* de Guy Tirolien ou la langue « créolisée » de Simone Schwarz-Bart. Certes, le prix Goncourt a rendu légitimes une syntaxe et un vocabulaire forgés sur la rencontre du créole et du français et familière la mise en scène des oubliés de la chronique coloniale, mais la littérature antillaise déborde cet espace défini par les écrivains de la créolité. Les lettres d'outre-mer effacent progressivement les traces de leur enfance bouleversée, hantée par les conflits de races et des enjeux de langue, pour chercher leurs vérités, comme d'autres formes artistiques, dans l'intarissable source des rencontres et des influences culturelles.

Longtemps exilé du cercle des écrivains guadeloupéens pour sa

Saint-John Perse, poète guadeloupéen.

Portrait au fusain de l'auteur par André Marchand.

filiation suspecte avec l'aristocratie blanche créole, Saint-John Perse a aujourd'hui réinvesti la terre originelle de ses rituels poétiques. Reconnaissance d'une antillanité authentique, obsédée par l'horizon marin, sensible à toutes les voix du monde. Plus qu'un capital d'images et de métaphores, la Guadeloupe a généré la singularité d'un chant habité par cette mémoire de l'île natale, qui disperse la pensée à l'échelle du cosmos. Si les « versets » opaques et nomades de l'œuvre, les jeux de masques et de travestissements de l'auteur s'avèrent difficiles à parcourir et à déchiffrer, les textes d'*Éloges* suffisent à manifester la domination impérieuse des souvenirs d'une enfance antillaise. Enfance bercée par le créole, familière de l'univers insulaire, initiée à la culture caraïbe que la parole du poète invoque en partage dans ses incantations… Mais, avant que d'autres mots ne s'émancipent et ne se libèrent dans la diversité des espaces culturels offerts à l'imaginaire antillais, la poésie vivra d'autres saisons inspirées de la tempête de la négritude. Avec la plume noire d'Aimé Césaire, le poète martiniquais, comme emblème, l'Afrique viendra hanter les pages, reconquérir la fierté de la race. Poésie violente et frondeuse qui brise les tabous et revendique une écriture rebelle. Le recueil de Guy Tirolien où figure la célèbre « Prière d'un petit enfant nègre » s'inscrit dans cette tension, dans cette urgence d'une reconnaissance de l'homme noir, et son corollaire politique, l'indépendance pour la Guadeloupe. Certains romanciers célébreront provisoirement ces retrouvailles sacrées et s'amarreront à ce courant idéologique né entre les deux guerres. Cette conscience des origines perdues traverse les premiers livres de Maryse Condé qui a la lucidité de nuancer l'image idéale du continent des ancêtres. Après les désenchantements de l'évolution politique de l'Afrique et la confrontation avec le pays réel, l'écrivain, hier auteur de *Ségou,* une saga africaine, puise d'autres inspirations dans les sources plurielles des Amériques noires. Dilatée par l'exil, par la fréquentation privilégiée des États-Unis, son écriture s'affranchit de tout enracinement et expérimente différents modes de narration. Elle donne surtout à lire, dans la dérision et l'ironie, les contradictions des idées dominantes, les zones d'ombres et les errements qui jalonnent l'expérience humaine. De *la Vie scélérate* à *Desirada,* de multiples personnages se télescopent au passé ou au présent, ici ou ailleurs, pour interpeller la vie, sans souci d'apporter des réponses exemplaires ou dogmatiques.

Plus modeste, la production littéraire de Simone Schwarz-Bart n'en est pas moins intéressante par les hybridations opérées sur la langue française. Une nouvelle poétique inspirée du créole, qui sert tour à tour la révolte ou la résignation des personnages de *Pluie et vent sur Télumée Miracle,* par exemple. Par des néologismes baroques, par le foisonnement hétéroclite des mots et des images empruntés au parler populaire, le roman donne à partager la réalité douloureuse d'une communauté. Dans cet univers de malheurs et de persécutions émergent

Gisèle Pineau (en haut à droite), Simone Schwarz-Bart (en haut à gauche), Maryse Condé (en bas).

les modestes héroïnes de la mémoire antillaise avec leurs mentalités, leurs superstitions, le sentiment obscur de la malédiction, mais l'espoir toujours tenace du bonheur.

Dans les romans de Gisèle Pineau, la structure des récits tout autant que l'originalité de l'écriture manifestent la créativité et donnent une densité humaine, une authentique sensibilité aux biographies individuelles ou collectives. Par le biais des chroniques ordinaires ou des apocalypses exceptionnelles comme les cyclones, le langage et la construction ménagent des rencontres mémorables avec la réalité et avec les imaginaires d'un monde façonné par un climat, une histoire, une culture faite autant de déchirements et de désordres que de songes étouffés. Dans *l'Espérance macadam* ou *l'Exil selon Julia,* les mots sondent et atteignent l'essence des êtres et des choses pour appréhender la vérité des hommes sous l'apparente confusion des drames, l'enchevêtrement et la déraison des vies.

Une manière d'exorciser l'angoisse d'une humanité livrée à des démons et d'affirmer aussi son besoin de rêve et de poésie. Romancier-poète, Daniel Maximin, sans renier sa filiation au continent mère, s'est forgé une écriture brute de tout exotisme, de toute couleur « épice ». Marqués par les drames de la déportation, de l'exil et les différents chaos de l'histoire ou de la géographie, ses textes sont les chambres d'écho poétiques d'une réflexion, d'une méditation philosophique. Depuis le début du triptyque initié par *l'Isolé Soleil*, l'écrivain assigne des sens prophétiques aux éléments dévastateurs, éruptions volcaniques ou fureur des vents, comme autant d'acteurs de l'identité antillaise,

En haut. Daniel Maximin.

Léocadie dans le regard de Chapelain Midy, un peintre français né au début du siècle. Esthétique des Beaux-Arts pour une femme créole.

qui résiste sans cesse et surmonte la fatalité du désastre. Son écriture aux accents liturgiques et conjuratoires bruit de multiples voix, un chœur tragique psalmodie et libère les énergies poétiques et créatrices de l'aire caraïbe, riche de « ses quatre races, de ses sept langues et de ses douzaines de sangs ».

D'autres talents, plus anciens, habitent l'horizon littéraire de la Guadeloupe comme autant de prémices aux symbioses et aux conciliations qui marquent aujourd'hui l'écriture contemporaine et lui donnent une valeur universelle. Grâce au dépassement des risques et des tentations de la littérature militante, de nouvelles relations s'inventent et mettent les cultures en résonance. Entre fiction et réalité, tout s'écrit dans une stratégie alternative où la préoccupation identitaire n'est qu'un aspect d'une démarche, d'un cheminement qui dépasse aujourd'hui les oppositions duelles entretenues par les rapports de colonisation ou les clivages anciens. Sans doute Sonny Rupaire, par exemple, a-t-il eu le mérite d'imposer dans ses poèmes le défi de la langue créole comme symbole de la réappropriation d'un imaginaire confisqué. Mais la variété des quêtes et des univers des artistes antillais échappe aujourd'hui à l'illusion du « tout créole » comme aux catégories exclusives d'une création qui prendrait comme uniques référents les textes-programmes de la négritude ou de la créolité.

Avant que ne s'expose une peinture originale, représentative de l'esprit des lieux, quelques artistes académiques figurent la réalité antillaise dans des compositions exotiques. Détails soignés qui donnent à voir les arbres, les fleurs et les fruits à la manière naturaliste, scènes angéliques où maîtres et esclaves se côtoient en parfaite harmonie…

Les aquarelles, les huiles sur carton exaltent la richesse édénique de la nature, les grâces de l'habitation, la beauté des femmes créoles parées de leurs grains d'or, colliers choux et robes madras. La peinture joue sur des images décoratives, pittoresques échappées du mythe fabuleux de l'île lointaine. L'irruption d'une génération de plasticiens dont l'imaginaire est structuré, habité par l'espace, le temps et l'histoire viendra contester ces visions. Dans cette exploration d'un nouveau monde pictural, Michel Rovelas est sans doute le pionnier.

MICHEL ROVELAS, OU LA « RE-VISITATION » DE LA FIGURE

Croquis, esquisses et études qui préludent à l'élaboration d'une toile disent bien l'autorité du dessin, l'exigence et la maîtrise d'un vocabulaire classique qui gréent le chevalet de Michel Rovelas à la réalité. Une réalité enfiévrée, ritualisée, transcendée ou défigurée par le jeu de cadrages volontairement désaxés qui préside toujours à une volonté de s'ancrer dans le mélange naturel qu'offre la terre natale, comme un creuset d'identités fortes, et de restaurer

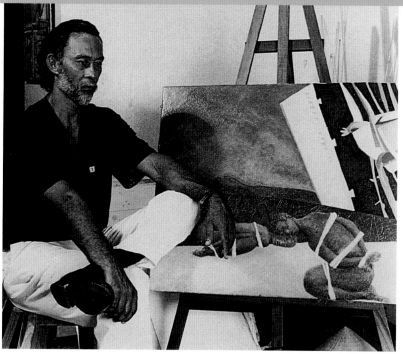

la figure, quitte à la manipuler, à la sublimer ou à la pervertir. La recherche puise à la fois au centre de la pensée et autour de l'œil comme en attestent les dispositifs de lucarnes qui reflètent et ordonnent la vision. Mais retracer l'itinéraire des inspirations comme des créations du peintre depuis son engagement précoce dans le monde de l'art relève d'une impossible gageure tant la peinture de Michel Rovelas a connu de phases et de métamorphoses. Ce qui reste toutefois majeur dans sa production, c'est cet inventaire particulier, en forme d'épiphanie, en toute liberté de pensée et, sous la lumière souvent ocre et rouge et les couleurs de la terre, d'un univers fracturé et opaque, qu'il nous invite à recomposer comme un puzzle éclaté par des fractions, des découpages, une juxtaposition hardie de formes et de strates dédoublées ou escamotées… Une exposition de faits, une collection d'images où se rencontrent, au terme de dédales secrets et d'improbables réseaux, la volupté des femmes comme la

Michel Rovelas dans son atelier, une distillerie désaffectée, lieu symbolique d'une expérience humaine.

Plaisir de pointe des Châteaux, 1993. Collection le Maud'huy.

Flamboyant, Joël Nankin, 1995.

souffrance et la déchirure de l'être. Dans son atelier de Marquisat à Capesterre, Michel Rovelas déploie sur toile de jute tradition- nelle, papier imperméabilisé ou d'emballage, en couches, sous- couches, à-plats ou marouflages, la véhémence et la compassion d'une pensée empreinte d'une sin- gulière spiritualité.

JOËL NANKIN, RENVERSEMENTS ET IMBRICATIONS DES SENS

Enracinée dans le patrimoine gua- deloupéen, investie des fécon- dations imprévisibles du monde de la plantation, la peinture de Joël Nankin participe d'une orches- tration où les *répondeurs* s'inter- pellent dans le labyrinthe des cou- leurs et l'imbrication des formes. Enfant gâté du son qui se frotte au talent de Loyson ou de Konket, l'a- venture artistique commence chez lui par la création avec d'autres amis du mouvement culturel Akyo, une alternative au carnaval satin- paillettes, dans la redécouverte et la réhabilitation des valeurs tradi- tionnelles et de la musique popu- laire. Qu'elles expriment l'esprit des *lakou,* l'univers de l'habitation, ou célèbrent la femme *poteau- mitan,* les toiles de Joël Nankin inventorient les traces et conser- vent le rythme et les vibrations d'un espace réensourcé par une mémoire lucide et assumée. Son engagement de patriote ina- liénable authentifie une démarche initiée justement dans *lajol* au len- demain des mouvements indé- pendantistes. C'est à la mine

de plomb, dans les contrastes essentiels du noir et du blanc, que l'autodidacte convoque et restitue les visages dans une première étape figurative. Masques amérin- diens et africains, issus de son héritage culturel, sédimenteront le passage à une peinture à la fois expressionniste et symbolique, organisée dans des compositions qui renouent avec la lumière, la couleur, la cadence…, la vie sur- tout, secrète, occulte, aujourd'hui révélée de l'homme caribéen. Dans la liturgie des modestes témoins, des humbles figurants de l'histoire, acteurs enfin du pré- sent, sa peinture exorcise les paradoxes et les plaies du passé et propose une lecture positive et fertile, qui pourrait être celle

d'une réconciliation et d'une libé- ration culturelle. Dans le lacis des formes et des figures enchevê- trées qui tissent des faisceaux lumineux, la peinture de Joël Nankin, avec sa manière étrange- ment cubiste et sa technique qui renvoie un effet de matière, de relief, d'humanité surtout, éclaire et superpose les ombres et les tabous de la vie antillaise.

BRUNO PÉDURAND, LA PRIMAUTÉ DE LA QUÊTE

Pénétrer dans l'atelier de Bruno Pédurand, c'est saisir d'emblée l'originalité d'une démarche esthétique. Accrochées aux murs de la case, les toiles en préparation révèlent une urgence à s'approprier un vocabulaire, un espace et à interroger sa propre pratique. Le peintre s'applique, au travers de ses recherches graphiques, chromatiques, sculpturales, à revisiter les grands actes de l'histoire de l'art. De Léonard de Vinci à Picasso, tous les vagabondages et toutes les inspirations sont possibles et renvoient à une quête qui interroge l'identité du peintre. Les dessins du Florentin, les clairs-obscurs de Rembrandt, les vibrations des grandes plages de couleurs des artistes contemporains, les déformations de Francis Bacon qui influença la nouvelle figuration constituent, pour Bruno Pédurand, autant de parcours qui mènent à la découverte de soi, de sa propre facture, de ses thèmes privilégiés. Dans cette expérience studieuse, la présence humaine ou animale reste une référence majeure comme un élément passionnel, essentiel à la narration quand l'abstraction pure et géométrique semble montrer ses limites. Le corps même masqué ou son image fait sens et manifeste la tension fondamentale de la toile par l'orchestration dynamique de la couleur, du dessin, de la figure. D'autres modes opératoires : expérimentation de techniques mixtes, manipulations et mise en scène d'éléments hétéroclites comme le fil de fer ou le Plexiglas, tissent aussi des relais entre le lieu, l'œuvre et l'artiste. Une appropriation atypique qui renvoie à la fantaisie imaginaire et personnelle d'un plasticien qui passe à l'acte sans se positionner dans le débat identitaire.

Gwan Chien, Bruno Pédurand.

Expositions et manifestations

Centre culturel Rémy-Nainsouta, boulevard Légitimus, Pointe-à-Pitre

Au cœur de la cité pointoise, toiles et sculptures s'exposent dans un ancien hospice restauré dans l'esprit et les couleurs de l'architecture créole. Sous la charpente de marine, les œuvres prennent, grâce aux volumes, à l'espace et à la lumière, une lisibilité particulière.

Galerie Mas, rue Henri-IV, Pointe-à-Pitre

Cette galerie, empreinte de toutes les grâces des anciennes maisons de ville « hautes et basses », archive, dans l'ombre rose du lycée Carnot, certaines mémoires du patrimoine antillais. Outre les cartes postales du *tan lontan* et les gravures, les tableaux de la collection permanente offrent aussi un florilège représentatif de l'art caribéen.

Fort Fleur d'Épée, Le Gosier

Autre lieu d'exposition détourné de sa vocation initiale, l'esplanade enserrée de murailles et les souterrains du fort Fleur d'Épée, campé en aplomb de la mer, accueillent en particulier au mois d'août un festival d'art intercaribéen : Indigo.

Acras, madras, biguine… quelques instantanés couleur locale aveuglent le voyageur du dehors. Le regard touristique s'en tient souvent aux clichés qui transforment les acteurs de la culture en simples figurants. L'imitation ou l'adoption de nouvelles pratiques participent de cette même dépossession, de cette aspiration inéluctable des identités originales vers des modèles uniformes. Soumise à toutes les influences par l'efficacité des communications, la société guadeloupéenne n'échappe pas au gommage de ses spécificités et hésite encore entre les adaptations nécessaires et la préservation du patrimoine. En marge de ces doutes, des initiatives se fédèrent pour sauvegarder les signes visibles d'un monde fondé sur la mixité des traditions et des langues. Des consciences se réveillent pour déjouer les pièges d'un régionalisme réducteur, d'une typologie caricaturale, et manifester l'authenticité d'un métissage, d'un syncrétisme magico-religieux, artistique, culinaire… Mais, au-delà des inventaires et des recensements officiels ou des manifestations explicites d'une créativité nourrie aux multiples contacts de l'histoire et de la géo-graphie, un *quimbois* au milieu d'un *quatre-chemins*, un *vidé* de carnaval ou une nuit de *lewoz* viennent rappeler la permanence des rites dans le quotidien. Sans procéder au bilan d'une culture en permanente mutation, un état des lieux provisoire retient quelques figures échappées des plans fixes proposés par les tours-opérateurs. Deux grands totems : le *gwo-ka* et le créole, emblèmes de la revendication identitaire, symbolisent encore la résistance d'une société aspirée par l'Europe et ses manières de vivre. Au temps de Vélo et de Ti-Céleste, de veillée en veillée, de coup de main en coup de main, les doigts durcis par le tambour battaient les sept rythmes et suivaient le commandement du marqueur. Le *gwo-ka* retrouve aujourd'hui son *balan*, l'incantation de son chant, dans les *lewoz* populaires. Au son des basses et des aigus, des frappés en roulade ou en saccade, les danseurs obéissent aux *tambouyé* dans une communion rituelle à valeur d'initiation. Écouter pour entendre, entendre pour écouter, entendre et écouter pour apprendre… Loin des *tim-tim* complaisants et folkloriques, la voix du *ka* demande passage à la mémoire, fait remonter les hantises et conjure les désespoirs. Le carnaval fait aussi rouler les tambours et, même si le souffle des *cornes à lambis* et les rythmes des *ti-bois* se joignent à la cavalcade des sons, ils restent les maîtres des défilés. Derrière les *mas* à Saint-Jean, le peuple se remet en scène, retrouve la subversion, inverse les rôles et les statuts. Véritable mouvement de résistance au laminage culturel et politique, des groupes carnavalesques

Le carnaval antillais s'émancipe
des clichés folkloriques pour imposer
les manifestations turbulentes
du pays réel.

comme Akyo ou 50/50 se refusent à porter les masques du carnaval des autres. Dans le *vidé* d'enterrement de *Vaval*, orchestré par des lamentations, la vie et la mort retrouvent leur complicité dans cet arrière-pays magique où jalousie est sœur du sorcier. Les veillées, où rires et larmes se mêlent en contes et en chansons, les bougies du cimetière de Morne-à-l'Eau, manifestent, au-delà de la simple pratique religieuse, cette croyance en l'occulte… Une permanence encore forte, enracinée à toutes ces réminiscences de mythes et de cultes hérités des brassages ethniques. À la religion officielle imposée par les colons se sont greffés des rites magico-religieux où les puissances surnaturelles imposent leur pouvoir et justifient parfois la persécution du malheur et de la *maudition*. *Quimboiseurs* et *gadèzafès* administrent ces lieux de l'imaginaire, de l'envoûtement et du maléfice. Mentors dans l'art de déchiffrer le vouloir des esprits, des *soucougnans* et des *zombis*, ils négocient

avec eux par l'intermédiaire d'objets magiques. Magie de la nuit et des *volans*, qui trouve aussi son écho au grand jour. À l'étal des marchandes, des plantes, remèdes à tous les maux, viennent à la rescousse des rêves de vie meilleure, les gestes quotidiens exorcisent ainsi les malheurs ordinaires et conjurent, comme un *bain démaré*, les mauvaises influences. Le religieux intègre aussi des superstitions et des craintes et trouve toujours moyen d'échapper à l'orthodoxie. L'autel du Bon Dieu accueille sans discrimination les divinités émigrées du panthéon indien et s'ouvre aux évangiles des sectes qui promettent le bonheur et la fortune pour demain. La langue créole facilite le passage et participe au voyage dans ce pays de l'occulte ou du merveilleux des contes. Puissante alliée du discours politique comme des défilés du carnaval, elle libère, après bien des interdits, les attitudes mentales, les représentations et les modèles qui ont résisté à l'acculturation.

Du Matouba, une île dans l'île, à l'impressionnant domaine naturel du parc national, la Guadeloupe offre, en confidence ou à découvert, des échappées belles dans un infini d'espaces épargnés. D'autres parcours miraculeux au monde des oiseaux, des fleurs et des papillons complètent cette leçon de choses dispensée dans la fraîcheur des jardins et des parcs. Fragrances et couleurs du paradis pour une collection d'images tropicales, pour une contemplation solitaire ou une conversation intime avec l'île quand les flots s'écrasent sur les hautes falaises solitaires du Nord Grande-Terre.

Dominé par la Soufrière, où s'accroche une couronne de nuages, le territoire du parc national s'aventure dans des *traces* erratiques qui escaladent les mornes, se livrent aux torrents et aux rivières et déroulent jusqu'à la mer des drapés de verdure.

ÉCHAPPÉES BELLES

Dans les somptueux tourments d'un monde de volcan et de forêt, le terroir du Matouba, encastré dans les méandres de la rivière aux Écrevisses et de la rivière Rouge, recèle des myriades d'histoires de nature et de vie, lumineuses et éphémères comme les *bèt a fé* qui clignotent dans la noirceur. Adossée à la Soufrière, une presqu'île verte vibre du bruissement des feuilles de bananiers, des frappés répétés du *toto-bois* sur les contreforts de l'Acomat. Une citadelle humide de fougères en éventail, d'*oreilles d'éléphant*, de palmistes où se rejoignent les images miraculées de la mémoire, enchevêtrées comme les lianes siguines aux ramures du gommier. Grands bois, profondes ravines, gorges creusées dans la montagne n'ont pas dissuadé les colons rescapés de Guyane de mettre en valeur, malgré les tracasseries des puissants habitants, des concessions propices aux cultures maraîchères et à l'élevage, grâce a la fraîcheur du climat et à la fertilité des sols. La création de cette nouvelle paroisse d'altitude, futur berceau de la commune de Saint-Claude, s'initie sur cette volonté de créer une *hatte* et décide ainsi d'une longue tradition vivrière, ponctuée aussi des rites anciens des habitations caféières. Ce jardin potager au relief tourmenté, défriché par une colonie originale où Allemands, Alsaciens et envoyés du roi de France se côtoient, offre encore des réduits impénétrables qui servirent de retraite aux colons repliés dans d'invisibles ajoupas lors des attaques anglaises. Mais le dédale forestier du Matouba figure aussi comme le

mémorial de tous ces Noirs épris de liberté, que les traces empruntées par Delgrès et ses hommes conservent dans l'enlacement des racines. Menacés par le général Richepance, ils quitteront le fort Saint-Charles par la poterne du Galion pour remonter la rivière jusqu'à l'habitation d'Anglemont, et pousser « le dernier cri de l'innocence et du désespoir ». Élue comme terre de marronnage par les anciens libres qui refusent les nouvelles discriminations imposées par les propriétaires de retour sur les habitations confisquées par la Révolution, le Matouba devient aussi, avec ses batteries installées sur la montagne, un camp retranché où se joue une partition défensive avant la reddition du gouverneur Ernouf en 1810. La paix revenue, les caféiers alignés en rangs serrés sur les versants protégés par la montagne impulsent de nouveaux souffles à l'économie de plantation, même si l'arabica fait aussi vivre la Côte sous le Vent des rites des *boucans* à tiroir. Si la commune de Vieux-Habitants entretient encore, grâce à la torréfaction artisanale, les

Plantes aquaphiles, les fougères arborescentes développent leur magnificence le long des cours d'eau ombragés de la forêt tropicale.

Les crevettes, *chevrettes, ouassous* ou *écrevisses*, ont longtemps peuplé les rivières d'eau douce de la Guadeloupe, en quantité suffisante pour la consommation locale et le plaisir de pêcher à la « nasse à zabitant » (page de droite). Pour satisfaire la demande importante et pallier la raréfaction de l'espèce sauvage, de nombreux élevages de ouassous (ci-dessus) se sont développés dans la région de Pointe-Noire.

bois rapiécées des caféières et la simplicité de leur architecture dénotent l'absence des grands planteurs-propriétaires. Mais, à la saison des cyclones, les *Blancs-pays* appréciaient la rusticité et le charme particulier de ces maisons de changement d'air, survivance d'une pratique qui accordait aux contreforts de Saint-Claude, au temps des fièvres tropicales des militaires ou des ravages du choléra, le statut de station d'acclimatation. La ruine progressive des habitations caféières n'altérera pas la vocation résolument agricole d'un terroir, où dominent aujourd'hui des marées vivantes de bananeraies. Avec les brassages de population qui suivirent l'abolition définitive de l'esclavage, le Matouba a gardé l'empreinte de la migration indienne, de ce lointain Orient dont les traditions et les coutumes restent en particulier visibles dans le monde rural de Papaye. Sans doute transformée par les fortunes et infortunes de l'histoire, cette terre de résistance et de dissidence a pourtant marqué l'habitant d'une connivence très intime avec une nature protégée qui recèle des secrets partagés avec le monde animal et végétal. Connaissance des plantes médicinales, des emplacements propices à la pose des nasses à ouassous, symbiose avec la terre et les rivières, pratiques et savoir-faire hérités de ces générations qui charroyaient l'eau des ravines… C'est du cœur du Matouba que s'amorcent les plus belles randonnées à partir d'un sentier de découverte où se dévoile l'éventail de promesses offertes par le parc national.

parfums nostalgiques du célèbre bonifieur des Antilles, au fond de la vallée de la Grande Rivière, les ateliers de décerisage de La Grivelière sont devenus les témoins muets du passé. Les habitations-caféières des hauteurs de Saint-Claude ont également disparu, ravagées par les ouragans, étouffées sous les lianes géantes. Elles furent pourtant des lieux d'expérience de haute solitude pour des communautés d'esclaves, familières des grands bois, des bruits de la nuit, des levers de soleil dans les vapeurs de brume. Loin d'être à l'image des maisons de maître des habitations-sucreries, les façades en

À gauche et page de droite.
Au gré des entreprises coloniales
et des migrations, de nombreuses
espèces tropicales se sont adaptées
aux versants humides de la chaîne
volcanique.

Un bassin de fraîcheur sous les chutes
de la cascade aux Écrevisses, route
des Mamelles.

Légataire officiel des fragiles trésors de la faune et de la flore de la Basse-Terre, le parc national raconte une histoire naturelle dont les héros sont les orchidées sauvages, le *guimbo*, le racoon… Dans ce livre sans fin, le paysage n'est pas un simple décor au parfum exotique, une collection fortuite d'arbres et de fleurs, mais une communauté harmonieuse où s'impriment les cicatrices et les blessures d'une vie puissante mais vulnérable. À la Guadeloupe comme ailleurs, les hommes ont déjà fracturé les subtiles harmonies de la terre pour la soumettre à leurs desseins. Et, puisqu'il faut désormais créer des réserves, des conservatoires ou des sanctuaires pour enrayer la dynamique de destruction, le parc national protège un patrimoine naturel unique, celui de l'une des plus belles forêts des Antilles, et propose l'exploration d'un monde devant lequel s'effacent les plages blondes et les lagons bordés de cocotiers. Si l'heure n'est plus à la découverte grâce aux traces et sentiers de randonnée qui ouvrent des passages dans la montagne entre ciel et mer, une infinité d'émotions se partagent avec ces premiers coureurs de bois qui consignèrent dans des livres où le lyrisme affleure sous l'aventure des sensations aussi fortes qu'imprévues. Les ouvrages du début du siècle de Camille Thionville ou de Léon Le Boucher attestent de spectacles grandioses comme d'expériences hasardeuses et de vertiges qui révèlent, à force de ténacité, la variété des contours de la Soufrière. Dans la poésie des images et des gravures de Budan, qui croque l'authenticité de lieux devenus familiers, on découvre aussi que la nature d'ici se gagne et se conquiert par un formidable corps à corps avec les rivières, les chutes, les cascades, les étangs, les cratères et le volcan…, ces parcours d'exception qui constituent aujourd'hui l'inestimable capital du parc national de la Guadeloupe, hier impénétrable. Sauvegardé par le farouche relief de sa chaîne montagneuse, le massif forestier offre la vision d'un monde balancé entre le vert profond des ravines et le bleu lumineux des eaux caraïbes. De panorama grandiose sur la mer étale en traversée confidentielle dans les ombres et accidents des *pieds-bois*, les traces, du nord au sud, empruntent des chemins mosaïques et s'aventurent dans le lit sinueux des rivières, sur les crêtes des dômes volcaniques comme dans la forêt profonde. Le manteau végétal jette d'immenses draps verts sur la montagne, qui masquent souvent de timides floraisons. Pourtant, pour qui sait reconnaître, dans les entrelacs des racines et des lianes, les flambées du balisier, les délicatesses

de l'orchidée, l'apparente monotonie de l'île d'émeraude s'efface devant la richesse florale. Les oiseaux aussi animent la forêt tropicale : *tap, tap* et cri rauque du pic noir, frémissement des ailes du moqueur trembleur dans le creux des arbres, s'ajoutent au bruissement des feuilles géantes, aux harmonies variées de l'eau : cataracte des chutes, chant cristallin de la rivière… La nuit exprime d'autres vies : vol bruyant du scieur de long dans les hautes ramures, glissements furtifs du racoon… Nocturnes baroques auxquels s'ajoutent les variations du papillondeuil chargé de crainte superstitieuse.

Différents équipements du parc, à vocation pédagogique, protègent ce fragile empire. Sur la trace de la Soufrière, aux Bains Jaunes, la maison du Volcan raconte une vie de fumerolles, d'éboulis, de roches et d'éruptions. À proximité de la cascade aux Écrevisses, sur la route des Mamelles, la maison de la Forêt procède à l'inventaire des espèces, tandis que, sous ses belles charpentes, la maison du Bois

de Pointe-Noire évoque, de la roue du charron à la barque du pêcheur, l'utilisation des différentes essences. La veinure des bois précieux de l'ébénisterie traditionnelle se conjugue au caractère rustique de ces machines à déceriser le café, moulins à canne et à manioc, qui déclinaient les heures et les jours d'autrefois… Visibles sur ces différents sites comme sur les traces balisées, les interventions du parc ne se bornent pas à ce monde forestier apprécié des randonneurs ou des botanistes. Les herbiers sous-marins et la mangrove, appauvris par des pratiques de pêche ou de chasse anarchiques, menacés par les nuisances et par les pollutions, bénéficient aussi d'une protection rapprochée. Ces espaces marécageux auront payé un lourd tribut à la colonisation soucieuse d'assainir et de remblayer les terrains insalubres. Le lamentin, animal familier du monde caraïbe, ne survit plus que sous la plume des chroniqueurs ou dans la dénomination aujourd'hui exotique d'une commune. Les tortues, massacrées

vivantes pour servir de peigne ou agrémenter une soupe, ont déserté les plages de rêve et d'or où elles cachaient leurs œufs… Mais, pour que les oursins continuent à étoiler les fonds marins, les gorgones à habiter les récifs coralliens, pour que les colonies de hérons vivent en paix sur les îlots et que les martins-pêcheurs et les poules d'eau croissent à proximité des vasières, il aura fallu créer une réserve naturelle. Aux confins de la Basse-Terre et de la Grande-Terre, unifiées par la rivière Salée, le Grand Cul-de-Sac marin, un vaste lagon ourlé d'un long récif corallien, préserve un territoire où s'interpénètrent eaux douces et eaux salées, à la frontière indécise et troublante des milieux marin et terrestre. Certains îlets comme l'îlet Fajou, très exposé aux convoitises par sa proximité avec Pointe-à-Pitre, ont le privilège d'être associés à cette stratégie de sauvegarde. Enfin, la réserve Cousteau à Pigeon-Malendure permet une rencontre aussi pacifique qu'éblouie avec les beautés dévoilées par la *Calypso*.

LE VOLCAN

Par Philippe Bouysse

L'arc volcanique actif des Petites Antilles s'étend le long d'une courbe de 850 km, depuis la Grenade jusqu'à la petite île de Saba au nord. Vers le milieu de l'arc, la Soufrière de Guadeloupe, le point le plus élevé de l'archipel avec 1 467 m, est l'un des sept volcans de cette zone répertoriés pour avoir une activité historique (dans cette région, l'histoire démarre vraiment avec le deuxième quart du XVIIe siècle). Les plus connus parmi ses turbulents collègues sont la Soufrière de Saint-Vincent, la montagne Pelée de Martinique et les Soufriere Hills de l'île de Montserrat toute proche qui se sont réveillées en 1995 après un sommeil de quatre siècles.

Notre Soufrière n'a connu depuis l'époque historique que des éruptions phréatiques (1696, 1797, 1809, 1837, 1956, 1976), c'est-à-dire des explosions provoquées par la surpression de vapeur d'eau, sans implication directe du magma.

Le foudroyant cataclysme du 8 mai 1902 à la montagne Pelée, qui a anéanti quasi instantanément les 28 000 habitants de Saint-Pierre, a marqué de manière indélébile la mémoire antillaise. Aussi la crise de 1976-1977 à la Soufrière a-t-elle fait resurgir craintes, angoisses et terreurs. Elle a également suscité une violente querelle – très médiatisée – dans la communauté des sciences de la Terre : l'éruption était-elle d'origine magmatique ou seulement phréatique ? En conséquence, fallait-il faire évacuer la population menacée ? Les prémices de cette éruption avaient commencé en juillet 1975 avec des séismes de plus en plus intenses et fréquents, enregistrés et suivis avec la plus extrême attention par les géophysiciens de l'observatoire volcanologique de Saint-Claude, dans le quartier du Parnasse (cet observatoire a été transféré en 1994 sur le Houëlmont, dans les monts Caraïbes, plus au sud). Un an plus tard, le 8 juillet 1976, à 8 h 55, une première explosion de poussière et de vapeur réactive une fracture ouverte lors de l'éruption de 1956 (fracture du sud-est). Elle est suivie par vingt-cinq autres éruptions de poussière et de cendres, voire de blocs (issus d'un matériau volcanique plus ancien broyé), dont la dernière se produira le 1er mars 1977. Ces projections ont réutilisé d'anciennes fractures ou en ont ouvert de nouvelles : par exemple le gouffre Tarissan et la fissure du sud-sud-est. Cette activité est soutenue par une forte fièvre sismique (six mille séismes enregistrés en août 1976 !). Certaines de ces explosions ont déclenché la formation de coulées de boue (lahar) : trois au total. Le 15 août 1976, l'ordre d'évacuation est donné à la population, qui ne pourra revenir qu'à partir du 15 décembre de la même année. Ces éruptions sans production de magma frais ont été, somme toute, assez modérées : le panache le plus puissant n'a atteint qu'une hauteur de 2 500 m, l'ensemble ne produisant que 1 million de m³ de cendres (mêlées à 10 millions de tonnes de vapeur d'eau). Une vingtaine d'années après cette crise explosive, seules quelques exhalaisons de fumerolles sulfurées s'échappent de certaines fissures et créent par endroits des zones où la roche volcanique est très altérée, ou, selon un terme plus scientifique, hydrothermalisée (par exemple à la ravine Matylis).

Édification du volcan de la Grande Découverte (de – 150 000 à – 100 000 ans).

Effondrement de la caldera de la Grande Découverte après une éruption cataclysmique plinienne (vers – 100 000 ans).

Construction du volcan Carmichaël à l'intérieur de la caldera précédente (entre – 100 000 et environ – 15 000 ans).

Phase I

volcan de la Grande Découverte

Phase II

caldera de la Grande Découverte

Phase III

volcan Carmichaël

LA SOUFRIÈRE

GRANDE DÉCOUVERTE ↑
1 298 m   1 302 m   CARMICHAËL

sources thermales
de Matouba

NEZ CASSÉ

fissure du Nord-Ouest

MORNE AMIC ▲
1 343 m

fissure du Nord

lahar
de 1837

piton du Nord

piste Jaune

piton de l'Est

piton Breislach

fissure Faujas

▲ 1 467 m

1 464 m   1 456 m

piton Saussure

lahar
de 1976

gouffre Tarissan

fissure du 8-07-1976

piton Dolomieu

dôme
andésitique
de la
Soufrière

le Souffleur

fissures de 1956

chemin
des Dames

L'ÉCHELLE
1 397 m

fissure du 30-08-1976

Savane à Mulets

lahar
de 1976

première chute

rivière du Carbet

ravine Amic

ravine Mâtanga

ravine Matylis

rivière le Galion

LA CITERNE

1 155 m   cratère

route
chemin
fumerolles
post-crise 1976-1977
lahar (coulée de boue)

0 100 200 300 400 500 m

Déstabilisation de la pente ouest du volcan Carmichaël (effondrement sectoriel) avec seulement activité phréatique et formation du cratère d'avalanche du Carmichaël (il y a environ 11 500 ans).

Éruption cataclysmique du type mont Saint Helens (qui a eu lieu en 1980 aux États-Unis) et formation du cratère Amic (il y a 3 100 ans).

Sur et autour du dôme rougeâtre d'andésite, dans un décor lunaire d'éboulements et de crevasses, s'échappent encore des fissures, cinq ans après l'éruption de 1976, des vapeurs et des fumerolles sulfureuses.

État actuel avec édification des cônes stromboliens de l'Échelle et de la Citerne au IVe siècle de notre ère, et, depuis le début du dernier millénaire, construction de la Soufrière proprement dite, avec extrusion du dôme andésitique lors de la dernière éruption magmatique du volcan au XVe siècle, c'est-à-dire quelques décennies avant la découverte de la Guadeloupe par Christophe Colomb.

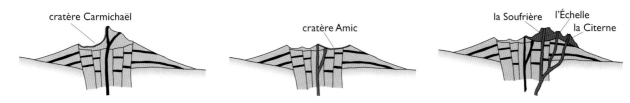

Phase IV

cratère Carmichaël

Phase V

cratère Amic

Phase VI

la Soufrière   l'Échelle
la Citerne

Dans la région de Petit-Bourg, les méandres des rivières se plaisent à ondoyer dans les alternances de vallées et de mornes naguère voués à la culture de la canne. Longtemps habitée par les distilleries, la terre rouge et comme cendreuse conserve une vitalité et une puissance révélées par l'exubérance des jardins. Des cases aux habitations des hauteurs de la Lézarde ou de Vernou, recherchées par la société blanche créole, une grande variété de fleurs, volontiers butinées par les *foufous,* amateurs d'hibiscus, entretiennent le songe caraïbe. À Cabout, le domaine de Valombreuse, dans ses déclivités, en évoque à lui seul les multiples versions, dont les volières et les serres sont les seules formes contraintes, alors que l'infini du ciel, le chant de la rivière Duquerry et les ombrages de la palmeraie apparaissent comme la dimension véritable de ce parc floral. Le foisonnement de plantes à fleurs, d'arbres fruitiers et d'épices rappelle que les différents peuples ont voulu marquer le sol antillais des souvenirs végétaux de leur terre d'origine. Des plantes alimentaires comme le manioc et la patate douce seront importées par ces Caraïbes qui se couvrent le corps de *roucou* pour éloigner les insectes, tandis que les colons introduiront l'indigotier, le vanillier, plus tard le caféier et bien d'autres espèces qui se mêlent à la flore naturelle décrite sur les planches couleur de Charles Plumier, botaniste du roi. Les déportés des bateaux négriers apportent également au Nouveau Monde l'*agouman,* le *balambala,* des herbes dont les noms font

Pl. 265.

Théodore Descourtilz Pinx.

Pérée Sculp.

Pages précédentes. À peine troublés par les « pique-bœufs », les bassins de ouassous, sur les terres ocre et solitaires de la Basse-Terre, se substituent aux eaux des rivières où vivaient les *zabitans.*

DE FLEURS ET DE PAPILLONS

Dans l'allée Dumanoir – route de Capesterre-Belle-Eau (ci-dessous) – comme sur les *chemins blancs* qui montent aux anciennes habitations, le palmier royal (page de gauche) ourle les images du monde colonial et tropical. Sa majesté, conférée par la hauteur de son tronc lisse et l'ondulation lente de ses palmes, s'accommode d'une filiation avec d'autres variétés plus rustiques comme le multipliant ou le palmiste montagne.

écho à la terre africaine. Mais la nature des Petites Antilles s'est également enrichie d'espèces venues d'Asie : le safran, qui parfume le colombo, et l'arbre sacré de la tradition hindouiste, le *vépé-lé*, sous lequel reposent les tombes indiennes. Comme les hommes, les plantes des îles sont aussi des « personnes » déplacées ! Naturalisées, ces miettes de pays perdus, parfois oubliés, se métissent et se confondent aux plantes indigènes, alors que la bienveillance du climat tropical permet toujours à des ornementations nouvelles de fleurir les jardins. Avec ses roses porcelaine aux pétales dentelés et translucides comme la précieuse céramique, ses alpinias aux lourds épis rouges, ses nombreuses variétés d'anthuriums, ses curieux balisiers, dont les lourdes grappes pendent, le domaine de Valombreuse se présente comme la fresque colorée du monde tropical, comme sa radieuse allégorie. Mais, outre ces fleurs somptueuses qui composent le traditionnel bouquet antillais auquel échappe l'éphémère et fragile hibiscus, les fougères, les multipliants, les tiges annelées du bambou qui frémissent sous le vent, la liane grimpante de l'allamanda jaune, celle du jasmin avec sa fleur cireuse et odorante expriment la liberté inaliénable de la nature d'ici. Quantité de plantes fleurissent et désordonnent les massifs, apportent leurs touches de couleur et leurs formes singulières, tour à tour explosives ou timides, à ces lieux ombragés où dévalent espèces et essences d'une nature voyageuse. Un ciel d'oiseaux restitue les impressions de récits de ces premiers voyageurs qui louaient la richesse de la

faune. Peu farouches, les sucriers introduisent leur bec dans les corolles des hibiscus ou dégustent volontiers goyaves et oranges. Les différentes espèces de colibris – colibri madère, colibri huppé, colibri falle vert – visitent de façon frénétique toute une série de fleurs, à la recherche du nectar et du pollen, mais ne négligent pas l'araignée prise au piège de sa toile. Les tourterelles, les ramiers et les grives gros-bec vivent en paix à l'abri des fusils, tandis que le *pipirit* s'amuse à happer les insectes au-dessus des mares, là où vivent aussi les tortues *molokoi,* devenues si rares. Royaume des oiseaux de nos îles, le domaine de Valombreuse rend aussi hommage dans son immense volière aux variétés exotiques.

C'est à Trou Caverne-Gommier que les orchidées renouent avec la liberté et vagabondent. Locales, caraïbes ou tropicales, ces plantes magnifiques et étranges trouvent, dans le parc qui leur est consacré, roches, troncs et fougères arborescentes où accrocher leurs racines sinueuses. Dans l'arrière-pays de Pointe-Noire, sur cette terre montagneuse de la Côte sous le Vent veillée par les pitons de Baille-Argent et de Belle-Hôtesse, le domaine de l'enclos de Sainte-Marie de l'Espérance est un lieu d'enchantement pour les néophytes et de communion pour les amateurs. Vénérée pour les secrets qu'elle recèle, pour le soin patient qu'exigent d'improbables floraisons ou de curieuses hybridations, la plante se tient à l'écart de la familiarité ordinaire de l'Antillais avec la flore locale. Si les herbes et les lianes possèdent des noms vernaculaires où le créole s'amuse à

Ci-contre à gauche. Importés
du Nouveau Monde, le cacao comme
le café fondèrent, après le pétun et
l'indigo, les espoirs des colons, bientôt
relayés par les promesses des grandes
plantations sucrières.

Ci-contre à droite. Avec les fèves
de la cabosse – le fruit du cacaoyer –
s'élabore encore l'authentique *baton-
kako* proposé sur les marchés locaux.

représenter la forme ou l'usage : *lyann kod, zèb a fanm*, l'orchidée marque ses distances et entretient son mystère dans son appellation scientifique. Toutefois, la dénomination de certaines espèces, comme l'orchidée bambou aux pétales d'un beau mauve ou la rustique Vanda Miss Joachim, indique une fragile intimité avec le jardin créole. Le parc aux Orchidées la développe et l'affirme, avec ses très nombreuses variétés d'une famille de plantes aussi imposante que complexe. Guidée par un orchidophile averti, qui livre ses trésors de guerre glanés sur le massif montagneux comme sur le tuf d'Anse-Bertrand en Grande-Terre, la promenade offre aussi de belles rencontres avec les couleurs, les saveurs majeures des épices et des fruits caraïbes. Dans ce vaste domaine aux allures de jardin d'Éden, la verte floraison de la liane de jade ou le port altier du palmier royal constituent des privilèges qui s'accordent aussi aux humbles émotions d'un verger généreux. L'occasion de se familiariser avec la pulpe savoureuse du corossol, un étrange fruit vert aux épines souples, ou du maracuja aux fleurs odorantes. Comme sous

les halles de la Darse à Pointe-à-Pitre ou de bien d'autres marchés de l'île, on découvre, à côté de célébrités incontournables comme l'ananas, la mangue ou la goyave, quantité de pommes ou de prunes curieuses. *Pom kannel, malaka, sirel, sité… Prin kafé, chili*, dégustées à même l'arbre ou offertes en partage lors d'une visite. Carambole, papaye et sapotille apportent aussi leur exotisme à toutes les formes de dégustation que suscite la flore antillaise. Crus, cuits ou macérés, en jus, en confiture ou en punch, les fruits révèlent aussi leurs vertus curatives et, mêlés à différentes herbes, entrent dans la composition de potions ou de bains. Ils complètent ainsi l'arsenal des plantes médicinales cultivées : *sémèn kontra* ou *karapat*, toujours d'usage dans le monde rural, là où traditions et croyances ne sont jamais loin ! Le parc aux Orchidées adresse aussi aux épices – piments, cive, muscade –, garants de la saveur et du caractère de la cuisine antillaise, un légitime hommage. Enfin, les plantes stimulantes et aromatiques, qui firent les beaux jours des colons à l'époque où la Vieille Europe s'enthousiasmait pour des denrées exo-

tiques comme le café, le cacao ou la vanille à la fleur éphémère, complètent ce recensement, cette encyclopédie botanique. Insectes et papillons seront les accompagnateurs discrets de ces plaisants voyages au monde de la nature antillaise. Monarque américain aux ailes fauves bordées de noir et beau chinois des Guyanes immigré à Valombreuse se joignent à la cohorte colorée des papillons qui arborent sur leurs ailes la perfection de

Indigènes ou étrangers à la terre caraïbe, quantité de fruits savoureux comme l'ananas (en haut à gauche), la mangue (en bas à droite), la goyave (en haut à droite) composent la corbeille exotique.

Page de gauche à droite. À l'étal des marchandes-pays, paquets d'épices, rêves et remèdes à tous maux voisinent sous des étiquettes évocatrices comme celle du « bois bandé ».

Ci-dessus à gauche. Le piment, allié fidèle du *manger* créole

tropicale vibre de l'agitation du *von-von*, du bruit mat du vol des hannetons et de la mélopée nocturne des grenouilles. Épinglés par un entomologiste qui court le monde en quête des plus curieux spécimens, ces insectes des Antilles se trouvent aussi dans les boîtes vitrées de la galerie du musée du Rhum à Bellevue, Sainte-Rose.

Si les Antillais savent habiter leur terre et entretenir encore avec elle des liens profonds, ils ne peuvent oublier que leur espace se situe aussi entre le ciel et l'eau. À Blonzac, un univers baigné par la rivière la Rose le rappelle et ravive le mythe de *Manman-dlo* (sirène surgie des flots) aux lointaines racines africaines. La roche qui pleure sous la siguine, les nénuphars posés sur le lac, les bassins et la cascade sont les officiants de ce culte pratiqué dans un paysage aux allures de gravure ou d'estampe. Les jacinthes bleues, les dracaenas pourpres, les *ylangs-ylangs,* dont la senteur délicate parfume le linge dans les armoires, apportent aussi au Jardin d'Eau leur note romantique. Au fil de l'onde, dans les harmonies de vert et de jaune des crotons, la nature s'accomplit et se soumet au règne aquatique. Les *ouassous* aux pinces bleues et les carpes *koi* en sont les placides vassaux. C'est à proximité de Goyave que vit ce monde inspiré de l'esprit des eaux. Il écrira dans votre carnet de route une page mémorable.

leurs dessins géométriques. Ils aiment à butiner au matin dans les parcs et les jardins fleuris. En revanche, les sphinx aux chenilles de teinte et de taille extraordinaires sont les hôtes nocturnes de certaines plantes comme le frangipanier ou le corossolier, auxquels ils s'inféodent. Dans cette collection d'insectes qui peuplent la Guadeloupe figurent aussi ces étonnants coléoptères armés de cornes, de pinces ou d'épines. En permanence, la nature

Bien sûr, les îles sont seules au monde... comme égarées dans l'immensité bleue qui les assiège, en face de l'infini et d'un vide si grand qu'il faut l'investir, sinon le coloniser. Les pitoyables ruses de Robinson pour s'éviter d'autres naufrages en portent témoignage. Le nord de la Grande-Terre, un plateau posé en équilibre sur une falaise abrupte, ces ultimes arpents de terre avant le grand saut dans l'inconnu auraient sans doute redoublé l'angoisse de Crusoé... Ici, sur ces éperons calcaires exposés aux vents, les mots s'aventurent au-delà des clichés affectés aux calmes paradis des lagons. Ici, le grondement de l'océan, la farouche âpreté de la terre résistent au mythe de la genèse toujours présent au cœur du voyageur qui aborde ces mondes perdus au milieu de l'Atlantique ou de la Caraïbe. Sur les ciselures abruptes qui déchirent la côte de la pointe du Piton à la pointe Gros-Morne, la solitude hante les à-pics et inspire de merveilleux vertiges. Seules rescapées des tumultes des vagues, les anses : anse Belle-Rose, anse à la Barque..., sont autant d'escales où l'agitation des flots s'offre un répit avant que les pointes des falaises érodées par la mer et le vent ne réoccupent l'avant-scène. La pointe de la Vigie en est l'incontestable vedette, un spectaculaire observatoire où l'on distingue sous la fuite des nuages l'île d'Antigua. Mais l'ultime mesure de l'espace, sa borne obligée est bien dans cette ligne floue de l'horizon où le ciel et les eaux se confondent. Dans ce puzzle d'escarpements irréguliers qu'emprunte le sentier des douaniers sur les crêtes de la grande falaise, la Porte d'Enfer oppose les vestiges de sa voûte calcaire aux assauts de l'Atlantique. Passée la barre, l'eau s'avance doucement par une faille à la rencontre du sable. Au-dessus de cette large vasque, un chemin broussailleux conduit au trou à Man Coco. Dans son inquiétante profondeur, l'imagination enrichit la légende et raconte les multiples versions d'une destinée tragique. Dans ce pays à jalousie et à *zombis*, le sort de cette femme ne peut qu'inspirer aux *quimboiseurs* des pratiques magico-religieuses et entretenir des croyances attachées à ces lieux solitaires où le bruit rauque de la mer se mêle aux cris du *malfini* (frégate, oiseau de mer). La nature ici est, davantage que de terre, faite de l'esprit des vents, des lunes et des courants marins. À peine la vie habite-t-elle la steppe désolée de ce plateau qui domine cette falaise dont le bourg d'Anse-Bertrand est, sur le versant opposé, le gardien silencieux. Tout près, l'anse Laborde oublie la violence marine... Mais pour s'arracher vraiment à l'emprise de ce monde à part, aussi désolé que fascinant, mieux vaut aller à la rencontre des charmes de Port-Louis, de ses cases traditionnelles et de l'animation de son port. Au bout de sa rue pittoresque, en front de mer, bordée de lampadaires anciens,

DU NORD GRANDE-TERRE

Après les fracas atlantiques sur la Porte d'Enfer minée par l'érosion, la violence des vagues s'apaise dans le calme d'un lagon.

À Port-Louis (à gauche), maisons « hautes et basses » de la Grand'Rue et cases traditionnelles quadrillent le damier colonial du bâti de l'ancien bourg sucrier.

se découvre l'anse du Souffleur, une superbe plage dont les abords sont malheureusement victimes du béton. Mais la vue sur la Basse-Terre reste imprenable et le petit cimetière au bord des vagues rappelle par son humilité celui des Saintes. Élue par les notables, l'existence de cette bourgade, tout comme celle d'Anse-Bertrand, ancien fief des maîtres des habitations-

sucreries, montre bien que l'histoire de l'île est partout attachée à l'empire de la canne, même en ses terres les plus âpres. Quand l'usine de Beauport fumait, les communes du Nord Grande-Terre imposaient aux paysages encore marqués d'un ancien réseau de voies ferrées le rythme des cultures… Seule la façade atlantique restait emmurée dans sa farouche solitude.

La Guadeloupe « continentale » inspire quantité d'émotions et d'aventures qui déjouent les artifices de l'île paradisiaque et languide. Sa réalité d'archipel éclaté dans les multiples visages de ses dépendances offre encore d'autres escapades. À quelques encablures, ou van lévé, bien des milles au nord, des îles affirment leur originalité et maintiennent des traditions héritées de leur passé, de leur relief comme de leur position géographique. Chacune habite à sa manière son roman insulaire parfois jusqu'à la légende entretenue par la littérature touristique. Dans ces différentes compositions qui risquent d'en altérer l'authenticité, certaines commencent à brouiller leur identité et se transforment en paradis artificiels. D'autres, les plus déshéritées en apparence, résistent mieux à l'invasion des hôtels, des maisons et des voitures. Reste que ce collier d'îles dévoile de surprenants microcosmes. D'une île à l'autre, paysages, culture et peuplement composent un kaléidoscope troublé, en marge de la définition simple de l'antillanité. Aux avant-postes de ces petites sœurs captives, des poussières de terre, une flottille d'îlets offrent de courtes escales et de grands rêves.

Curiosités géologiques, les orgues
basaltiques du Pain de Sucre
festonnent la rade de Terre-de-Haut

LES ÎLES
DE L'ARCHIPEL

Saint-John Perse, consacré par le prix Nobel de littérature en 1960, reste une figure majeure de l'écriture antillaise. C'est à travers l'invocation poétique des lieux d'enfance que s'exprime son rapport fondamental à l'île.

Page de droite. Érigé à la fin de la IIIᵉ République, le phare de l'îlet Gosier permettait aux navires en approche de Pointe-à-Pitre d'éviter les récifs coralliens.

C'est à l'îlet Saint-Léger-les-Feuilles, au large de Pointe-à-Pitre, quelques arpents de bois secs qui figurent encore sur les vieilles cartes marines, que s'amorce la biographie du poète Saint-John Perse, ciselée sur le fantasme d'une île où son chant prit racine. Moins mythiques, d'autres îlets recèlent de secrets d'enfance pointoise et de rituels oubliés. Dans le calme du Grand Cul-de-Sac marin, Caret, Fajou et Macou invitent toujours aux robinsonnades dominicales et, témoin séculaire de l'arrivée des premiers colons, l'îlet à Kahouanne, dans l'axe de la pointe Allègre, semble encore veiller sur la destinée d'un littoral de sable blond. Autre vigie, le phare de l'îlet Gosier, le plus touristique de ces lambeaux de terre posés au milieu de la mer, guide le navigateur en approche de Pointe-à-Pitre. Mais, pour atteindre Petite-Terre, deux îlets confidentiels en haute mer qui hésiteraient presque à prendre le nom d'îles, il faut être bon marin et passer la barre où s'affrontent Atlantique et Caraïbe. Au large de la pointe des Colibris, encerclées de *cayes* à fleur d'eau, Terre-de-Haut et Terre-de-Bas réservent dans les transparences du lagon qui les sépare de purs ravissements. Sur ce petit archipel désert déjà convoité par les bateaux charters, les iguanes vivent probablement leurs derniers jours de paix. Mais, nul doute que la Désirade, dans son lointain cousinage, puisse encore prétendre à ce monde de solitude…

Les iguanes manifestent une prédilection pour les zones sèches des Saintes ou de Saint-Barthélemy.

À quelques milles au nord-est de la Guadeloupe, l'île de la Désirade, longtemps marginalisée par sa vocation de léproserie, résista à sa disgrâce par la culture du coton.

LA DÉSIRADE

Désirade… un nom comme une promesse gonflée des senteurs moites des alizés, un nom qui se transforme en paradoxe lorsque se précisent les contours décharnés de l'île. Désirée pourtant, elle le fut puisqu'elle doit ses syllabes de rêve et de désir aux marins de Colomb, exténués d'avoir trouvé l'océan si grand. Mais, plus que les éléments et l'ingratitude de la nature, ce sont bien les hommes qui viendront donner une tonalité marginale à l'histoire de ce vaisseau immobile. Grande oubliée de la colonisation, la léproserie de Baie-Mahault fut son premier titre de reconnaissance. Déportation, séquestration dans des cases de paille de pauvres hères touchés par la maladie, redoublées pendant une courte séquence historique par la relégation des mauvais sujets de Sa Majesté…, la réputation de l'île restera longtemps entachée de cette sinistre vocation. Et pourtant… Au vent de cette île au vent, le cimetière marin de la léproserie où la mer vient mourir sur les *cornes à lambis* des tombes bancales des

anciens missionnaires, les chemins pierreux qui serpentent le long des plages avant de s'envoler vers les hauteurs du plateau que se disputent les arbustes arides participent d'un même et subtil élan romantique. Car rien n'est encore venu ici troubler l'équilibre sauvage que la nature a instauré, distribuant dans un geste violent sable, sel, vent et soleil. Dans ce mélange originel, dans cette lumière si blanche, se dresse, dans une brousse de cactées et de taillis, le haut plateau calcaire. Il repose sur une épaisse muraille inaccessible au nord, tandis que le sud de la montagne s'abîme en une plate-forme littorale adoucie. À cet endroit, la route qui unit les Galets, Grande-Anse et Baie-Mahault se déroule comme un ruban gris, coincé entre mer et montagne jusqu'à la pointe orientale où s'inscrivent le phare et la station météorologique, vestiges abandonnés à l'usure des embruns. Alors l'espace se déchire. Loin des douceurs tropicales, on jurerait fouler le lichen écossais si un iguane alangui ne revenait

mettre un peu d'ordre dans ces égarements géographiques.

À recentrer son regard sur l'identité d'une île considérée comme le point de mire obligé, la gardienne tutélaire de la pointe des Châteaux et des anses des Salines, on s'imprègne d'une autre couleur insulaire : couleur d'albâtre et de sécheresse, couleur d'émeraude des longues plages encore désertes. Pailleté d'éclats de coquillages qui n'ont pu se réfugier sur le versant abrupt et rocailleux de la côte septentrionale de l'île, leur sable s'étire à l'abri du souvenir de courtes barrières coralliennes qui s'étendent du Souffleur à Beauséjour.

Tout comme leur île, les Désiradiens sont avant tout peuple d'océan, et c'est de lui qu'ils tirent aujourd'hui leur principale ressource. L'isolement, l'austérité de l'île et le poids de l'histoire auraient pu en faire des hommes durs et fermés. Une fois encore, en ce lieu où le charme joue des tours à la logique, la Désirade se révèle source d'émotion et dégage de puissants sortilèges.

Au Vent de Terre-de-Haut, le mouillage
abrité de la baie de Pompierre et
les roches percées.

Citadelle militaire à la Vauban, le fort
Napoléon témoigne du passé
tumultueux des Saintes, au temps
des rivalités franco-anglaises.

LES SAINTES

Sur l'archipel des Saintes et sa
frange d'îlets voués au soleil, au
vent et à la mer, flottent en permanence des parfums d'iode et de sel.
Au matin, quand les saintoises
et les filets dorment encore au
creux des baies, comme au crépuscule, à l'heure des *frappés* de
dominos, le visage de la mer, la
courbure de ses anses et la promesse de ses eaux se reflètent
dans les yeux bleus des marins.
Les Saintes doivent ce peuplement blanc originel autant que
cette vocation marine à une faible
superficie, un relief de mornes, un
climat aride, heureux handicaps
pour une échappée belle au
monde de la plantation. Quand, de
rébellion en répression, de tenta-
tive d'insurrection en abolition
avortée, l'image de milliers d'esclaves est chevillée au mot
Caraïbe, le nom des Saintes
résonne de l'écho des canons et
des batailles. Un vénérable arsenal rappelle encore les conflits,
les interminables conquêtes et
reconquêtes qui ensanglantèrent
les Antilles du temps des rivalités
franco-anglaises.

Les Saintes
et leur passé militaire

Ce petit archipel très stratégique
doit à sa topographie remarquable
et à l'ampleur de la rade de Terre-
de-Haut, bien abritée, plusieurs
dispositifs militaires destinés à
protéger les passes d'entrée,
comme des appuis successifs qui
rompent l'isolement des forts. Au
cœur de ce système de défense : le

fort Joséphine sur l'îlet à Cabrit, le fort Napoléon à Terre-de-Haut. Sur le morne à Mire, chemin de ronde, casemates, remparts et meurtrières exposent les caractéristiques classiques de l'architecture et des fortifications à la Vauban, aujourd'hui agrémentées d'un extraordinaire jardin de cactées. Les sombres geôles qui jouxtent le fort Napoléon, la muraille bordée d'un large fossé et l'esplanade dominée par la caserne évoquent les batailles d'autrefois, racontées par la riche iconographie du musée où s'affrontent encore, sous forme de maquettes, les vaisseaux ennemis, le *Ville-de-Paris* et le *Formidable*. À ce témoin massif d'une vocation militaire répond le faible écho : une poudrière et quelques murs du fort Joséphine. Mais, aux Saintes,

Dans le périmètre pittoresque de l'appontement, Terre-de-Haut vit au rythme des navettes.

d'autres vestiges de ce passé belliqueux subsistent : la tour du Chameau, les batteries de la Tête Rouge et du Pain de Sucre. Initiés au XIXᵉ siècle, dans la fièvre de l'entreprise militaire et la politique d'édification, ces ouvrages furent autant d'anticipations stériles de la pérennité d'un destin militaire. Les affrontements franco-anglais débuteront en effet beaucoup plus tôt, au milieu du XVIIᵉ siècle, après l'installation des premiers colons, d'origine bretonne, pour s'achever par la domination française en 1815. Dans l'intervalle de la constitution des Saintes en bastion, deux dates phares auront marqué l'histoire guerrière de l'archipel. La première fixe le souvenir de la reddition des Anglais le 15 août 1666, orchestrée avec l'appui des Caraïbes. La célébration de ce jour mémorable dans le calendrier saintois se double d'une fête des pêcheurs, un hommage à l'omniprésence marine dans le registre païen des courses de canots et dans la dimension religieuse des processions. Mais, derrière l'image pittoresque des saintoises pavoisées, peut-être faut-il lire aussi le rappel de ce lien fondateur entre l'Antillais et la mer dans la trace douloureuse des bateaux négriers. Plus tard, en 1782, lors de la célèbre bataille des

Saintes, qui se solde par la défaite de l'escadre française, les assauts entre les vaisseaux du comte de Grasse et la flotte britannique de l'amiral Rodney écriront une page illustre dans les archives des épopées navales. Le petit archipel entre dans la grande histoire grâce à sa topographie remarquable et à ses avantages stratégiques.

UN MINUSCULE ARCHIPEL DE DIFFÉRENCES

Une vaste rade, digne de figurer dans la légende des sites exceptionnels, de multiples baies, séparées par des mornes bosselés, et des criques accidentées caractérisent cet univers en miniature qui s'offre le luxe de s'éclater en deux îles : Terre-de-Haut et Terre-de-Bas, deux îles festonnées par les grands rochers sauvages de l'îlet à Cabrit, du Grand Îlet, des Augustins, de la Coche et de la Redonde. La première, Terre-de-Haut, respire d'une vraie poésie insulaire où s'entendent parfois, sous un ciel toujours lumineux, des harmonies d'îles grecques, arides mais douces. Aux panoramas somptueux du Chameau ou du Pain de Sucre s'ajoutent les grâces intimes d'un décor d'opérette : minuscules cases peintes et fleuries,

Petite case à véranda aux teintes vives (en haut à gauche) inspirées de la même palette de couleur que les saintoises (en haut à droite).

Ci-dessus. En retrait du bourg, de sobres sépultures quadrillent l'espace intemporel d'un authentique cimetière marin.

Ci-dessus. Jeunes filles en quête de touristes pour leurs « tourments d'amour » au coco ou à la banane.

Les rituels patients du monde de la pêche.

Ci-dessous. Apparition insolite du salako traditionnel.

pittoresque de la jetée, coquetterie de la gendarmerie, charme émouvant du cimetière marin.

D'autres séductions de Terre-de-Haut tiennent aussi à la transparence paisible des eaux turquoise comme aux rouleaux agités de la Grande Anse, voire à la végétation presque désertique où se coulent les étranges silhouettes des iguanes à crête préhistoriques dans les broussailles surchauffées, coiffées de cactus-cierges et de têtes-à-l'anglais.

La fausse jumelle de Terre-de-Haut, Terre-de-Bas, à la vocation touristique encore confidentielle, présente un profil plus lourd, presque circulaire. Des falaises abruptes bordent un plateau environné de mornes. L'île ne peut être abordée qu'en quelques anses, et cette quasi-absence de déchirures ou d'émiettement du paysage renforce l'impression de massivité d'une île qui se gagne dans la patience d'une découverte qui

apprécie le silence, la solitude et l'authenticité des lieux. Si cette disparité de relief crée aujourd'hui des impressions, des atmosphères de différences, elle fut hier à l'origine d'un autre type de peuplement, facteur d'un contraste racial qui perdure. Moins exclusivement tournée vers la mer, Terre-de-Bas accueillit en effet en son temps une économie plus agricole fondée sur la main-d'œuvre servile.

Pourtant, après le départ des navettes, à l'heure des teintes rosées du crépuscule et loin de l'animation factice et bruyante, les Saintes se retrouvent dans une unique vérité : celle des traditions nées de la mer qui donnent ici le sentiment d'une insularité redoublée. Le *salako,* traditionnel chapeau de marin à la forme tonkinoise, et la saintoise, qui se rit des coups de mer des canaux de la Guadeloupe ou de la Dominique, pourraient en être les symboles...

Plage de la rivière Saint-Louis à Marie-Galante.

MARIE-GALANTE

Comme une caravelle détachée de sa nef amirale, la Grande-Terre, Marie-Galante assume sa solitude dans les replis et les fractures de son plateau calcaire et les grains de beauté de ses plages. Parenté d'un relief, parenté d'un climat qui jaunit les savanes et assèche les mares au moment du carême, parenté aussi de l'expérience humaine de la plantation, écrite sur les mêmes terres à cannes et les traditions partagées de l'activité sucrière. Mais, sur la grande dépendance, le sommeil des *bitasyon* et le silence des moulins sont plus lourds, les saveurs du pain turbiné et du sirop batterie toujours attachées à la mémoire populaire. Les empreintes de l'héritage agricole restent partout visibles et, malgré les profondes mutations imposées par la modernité, l'île semble toujours dire *Kan cé manman an nou.* Amarreuses, coupeurs, cabrouets dessinent d'anciennes images d'un passé ailleurs révolu.

D'ultimes survivances s'accrochent au paysage, même si les ailes des moulins aujourd'hui mis en croix, les sucreries fermées, l'usine de Grande-Anse broie l'essentiel des cannes de l'île, tandis que de rares distilleries extraient encore le jus de manière artisanale pour s'enorgueillir d'un rhum très brut qui titre allégrement ses 59 degrés.

Là encore, l'histoire fidèle aux modes violents de la colonisation européenne et toujours traversée des épisodes majeurs de la Révolution et de l'abolition, la vulnérabilité des Antilles aux cyclones et tremblements de terre, les crises successives de l'économie sucrière ont sonné le glas d'une culture emblématique qui constitue pourtant l'identité de Marie-Galante. Une originalité véritable apparentée par les gens des villes aux clichés archaïques fixés sur les cartes postales sépia des librairies de Pointe-à-Pitre… Rythmée par les ondulations du champ de cannes et l'émergence attendue des flèches argentées, la vie de l'île s'ancre aussi sur des formes d'agriculture traditionnelle, qui renforcent cette impression rustique et modèlent une physionomie rurale.

Traces-mémoires de sucre

Passée l'illusion première de rondeur inspirée d'un profil tabulaire, Marie-Galante révèle sur sa côte atlantique les falaises de Caye Plate, de Gueule Grand Gouffre et de Saragot. Sur le littoral est, serti d'une barrière corallienne, les terrasses marines, les galeries et les grottes de Capesterre évoquent aussi les anciens tremblements des fonds marins. Autre héritage des fractures et des affaissements qui parcourent l'île : une faille spectaculaire, une barre, la déchire en deux mondes, deux entités déterminées par la configuration de ces lieux où les soulèvements des « Hauts » répondent aux dépressions des « Bas ».

Les Bas, une côte accueillante pour les caravelles de Colomb, à peine abordée lors de son second voyage aux îles d'Amérique. Les voiliers européens qui débarquent les premiers colons à Vieux-Fort cent cinquante ans après la décou-

verte officielle apprécieront le calme de ce mouillage abrité... Coexistence pacifique avec les premiers habitants, les Amérindiens de Folle-Anse, jusqu'à ce que les Caraïbes, victimes d'exactions dans leurs carbets de la Dominique, se vengent à leur tour contre la colonie.

Dans une seconde implantation toujours au plat de la bande côtière à Savane, proche de l'actuel Grand-Bourg, quelques cases en gaulettes et en paille marquent les prémices de l'histoire des Marie-Galantais,

Ci-dessus. Malgré ses édifices souvent ruinés et rongés par les figuiers maudits, l'« île aux cent moulins » raconte toujours son passé sucrier.

Page de droite, en haut. Ultime résistance du cabrouet et des bœufs au tracteur et à la mécanisation généralisés.

Page de droite en bas. Permanence des signes de l'architecture créole à Saint-Louis.

pour la plupart des engagés. Elle s'initie sous le signe habituel du petit élevage, du travail de la terre en carrés vivriers et, bien sûr, sous le règne de ces petites sucreries, lieux clos de rites familiaux et toujours serviles qu'imagent encore les vestiges des moulins.

Catastrophes naturelles et guerre contre les Hollandais apportent leur cohorte de misères et de découragement et entravent le cours d'un développement tributaire des événements qui affectent la Guadeloupe, toujours soumise aux attaques anglaises sur fond de pillage, d'incendies et de destructions. Sans cesse, la ténacité de l'habitant fait front aux menaces et aux désastres que font peser les conflits européens et les aléas climatiques sur une économie agricole marquée par des productions spécifiques au terroir colonial : canne à sucre, café, manioc, coton surtout, le fameux Sea Island, qui, à l'état sauvage colonise encore aujourd'hui le jardin *bokaz*, ceinturé de flamboyants ou de *cornes à lambi*. La nature marie-galantaise, dans le désordre de ses *racines*, plantes médicinales et agrumes, a gardé la mémoire volontiers brouillonne des cultures oubliées...

De marasme provisoire en timide renaissance, l'île vivra sur le mode des repères historiques propres au mémorial antillais. Victime de l'occupation anglaise, chambre d'écho aussi de la période révolutionnaire, elle saura néanmoins se démarquer de la Guadeloupe et écrire son chapitre d'indépendance républicaine mal récompensée par le rétablissement d'une forme d'esclavage sur les habitations désertées par les maîtres royalistes.

La nouvelle de son abolition définitive en 1848 se propage des savanes aux mornes, et le *gwo-ka* résonne des rythmes nouveaux d'une authentique liberté. Jours et nuits de *bakannal* et de *bakoulélé* près de la sucrerie Pirogue, grand *voukoum*, des litres de rhum déversés dans la « mare au punch » devenue le lieu symbolique, le miroir d'un vieux rêve d'égalité qui, sans cesse, contrecarre la tradition et le projet colonial.

Sur la grande plaine cannière du sud de l'île, les propriétés de Trianon et de Murat vont dessiner la nouvelle carte de ces usines à vapeur, qui signent aussi l'arrêt des moulins, abandonnés aux vents aveugles et fous des cyclones. De la première, située entre Grand-Bourg et Saint-Louis, ne subsistent que les ruines des écuries, une bâtisse en brique rouge qu'incendie le coucher du soleil. Sur le littoral de Capesterre, la seconde, aux allures de château, aujourd'hui transformée en musée, rappelle les splendeurs d'un temps arrêté, bouleversé par les crises sucrières. Depuis le début du siècle, les municipalités multiplient les signes de la modernité et réalisent de sérieux rattrapages par rapport à la Guadeloupe.

L'avion et les vedettes quotidiennes ont remplacé l'antique *Île-d'Émeraude,* mais, Marie-Galante, au-delà des conditions nécessaires au progrès et à un timide développement touristique, continue à distiller, parfois contre son gré, la vérité d'un monde qui préfère au mensonge exotique les réelles significations des cocotiers foudroyés ou d'une nature noyée de figuiers maudits. Loin des clichés paradisiaques, l'île propose, dans les déchirures de son profil atlantique, dans l'ambiance marécageuse des étangs et des mares de son plateau central comme au calme de ses plages étirées sur un littoral de sable blond, les images d'un présent singulier et de traditions conservées.

SAINT-BARTHÉLEMY

Au nord de l'île Guadeloupe, Saint-Barth cultive et entretient sa différence inspirée de ses aventures suédoises et de ses racines normandes. Dépendance lointaine au sens propre de la géographie, elle l'est aussi dans son attitude et ses résistances d'île farouchement blanche, cramponnée aux bénéfices de son statut de port franc comme aux privilèges de sa prospérité qui lui épargne les difficultés économiques et sociales qui agitent sa voisine Saint-Martin, la créole cosmopolite, elle aussi située aux confins des Petites et des Grandes Antilles, à quelque 170 milles marins de la Guadeloupe continentale. Cette île sans rivière s'est ingéniée à valoriser ses beautés naturelles, l'émeraude de ses eaux, l'or de ses plages, et à

transmuter les handicaps de sa périlleuse topographie et de l'aridité de son climat en atouts prestigieux, en paradis parfois artificiels, conformes aux attentes de la jet-society et des cover-girls qui la fréquentent. Mais, dans l'envers du décor, loin des boutiques internationales de grand luxe des quais de Gustavia ou de Saint-Jean, un cœur de vieux terroir français continue à battre. La vraie population insulaire, retranchée dans les minuscules cases à vent de sa côte exposée aux alizés, sait encore plier les amarres du latanier, brûler des palmes et des branches sèches pour faire cuire le pain, célébrer les rites religieux avec ferveur. Toutes fêtes et traditions puisées aux sources d'une mémoire encore provinciale, conforme au patois rocailleux qui émaille les conversations des galeries. Reflet des identités irréconciliables de ses

habitants et de ses hôtes, l'île, au détour de ses paysages, offre le double visage d'une sophistication extrême ou d'une rude austérité.

Les particularités d'une histoire

Tour à tour victime ou actrice d'un destin exceptionnel comparé à la petitesse de sa superficie, Saint-Barth offre à lire, sur les pavés du carénage de Gustavia, une histoire aux effluves de piraterie et de contrebande et aux empreintes

horizon archaïque, connut la présence amérindienne. Quand les voiles gonflées du signe de l'Espagne croisent près de ses côtes creusées d'anses, Ouanalao est alors relais de pêche des Caraïbes. Rebaptisée du nom du frère de l'amiral, sa terre aride hérissée de collines sèches restera longtemps une simple escale pour les marins et les aventuriers qui convoitent le butin de la flotte royale et catholique. Immuable intimité avec la mer, toujours présente au regard et complice d'activités de navigation commerciale, de pêche à la senne surtout, de cabotage, voire de contrebande… Familiarité entretenue depuis le temps où la baie de Gustavia servait de havre à la réparation des carènes ou des mâtures. Dans cette île de la Compagnie des isles de l'Amérique puis de l'ordre de Malte, l'arrivée des Suédois, devenus propriétaires à la suite d'une

Page de gauche, en haut. Avec l'îlot Tortue comme vigie, le lagon du Grand Cul-de-Sac, balayé par un alizé idéal pour la planche à voile.

En haut. Case de l'anse Toiny investie par les cactus et le vent.

Ci-dessus et page de gauche en bas. Variations du bâti traditionnel, déterminées par l'exposition aux alizés.

suédoises, comme une parenté redoublée des colons originels qui, dans une même filiation germanique, revendiquent leurs ascendants vikings. Hérédité qui n'est pas sans apporter une touche originale et exotique à la mosaïque des peuples créoles… En revanche, comme dans tout l'arc antillais, Saint-Barth, dans son

cession familiale entre Louis XIV et son cousin Gustave III, écrivit un chapitre original, qui se déchiffre encore sur les pierres tombales, le pavage des quais, les sites des forts Karl, Oscar et Gustave. Saint-Barth, après avoir éprouvé l'ingratitude de la terre, les attaques des Caraïbes, les infortunes de l'exode et des pillages anglais, échappa par sa neutralité suédoise aux guerres européennes, et les armateurs apprécièrent une éphémère prospérité de port franc. À l'écart de Gustavia pourtant, la société paysanne des quartiers de Corossol ou de Lorient, loin de connaître les splendeurs des trafics de marchandises et du marché noir, vivait, elle, la morsure du soleil en plus, au rythme de la plus reculée des provinces françaises et tentait d'arracher à l'ingratitude de la terre des productions fragiles comme le coton ou l'ananas et toujours menacées par la sécheresse des carêmes ou la violence des cyclones. Rétrocédée à la France en 1878 et devenue dépendante ainsi de la colonie Guadeloupe, Saint-Barth, dans les malheurs des conflits mondiaux, connaîtra l'embellie avec ses bateaux qui rallient, toutes voiles bordées, les Antilles françaises privées de tout. Mais, après la guerre, deux ouragans frapperont l'île épouvantée, implacables coups de grâce pour une terre abandonnée aux défis quotidiens

de l'existence, condamnée à intervalles réguliers à voir partir ses enfants en exil… L'arrivée d'un avion dans une savane tondue par les moutons décidera de l'ultime épisode de son destin. Repérage décisif qui transformera Saint-Barth en paradis pour milliardaires américains. Un mirage, une rançon aussi à payer contre les tourments de la misère, la rusticité d'une vie dont les vieux Saint-

En haut à gauche. Quartier de Corossol, l'un des derniers bastions du savoir ancestral de tressage de la paille.

En haut à droite. L'iguane, hôte familier des cases saint-barth.

Ci-dessus à gauche. Le clocher suédois de Gustavia.

Page de droite en haut. L'île conjurait autrefois la fatalité de la sécheresse par la collecte de l'eau dans des jarres en terre.

Deux mouillages appréciés des plaisanciers : l'anse de Colombier (ci-dessus), pour ses courbes sauvages ; la rade de Gustavia (page de gauche en bas) pour son animation portuaire.

Barth gardent l'empreinte dans leurs mains creusées par l'extraction du sel, fatiguées par le tressage du latanier. Le statut conservé de port franc, l'exonération de taxes et d'impôts sont d'autres survivances de cette histoire particulière comme de ces privilèges qui consolident l'enracinement farouche à une singularité délibérément affirmée.

Les images du rêve

C'est par un plongeon de dernière minute sur la plaine de la Tourmente, à l'instar du pélican, emblème de l'île, que l'on aborde Saint-Barth. En bout de piste, les vagues se creusent dans un camaïeu de bleus. La mer, les sables, deux permanences qui, de la pointe Toiny à l'anse de Colombier, saturent l'île. Douceur des lagunes, silence d'albâtre des Salines, rouleaux violents du littoral exposé aux alizés, plus de vingt plages émaillent ou déchirent ses côtes : baie somptueuse de Saint-Jean, anse de Corossol où les barques des pêcheurs dansent au coucher du soleil, anse des Flamands pailletée de sable blanc, plage de galets verts de l'anse de Chauvette, paradis des plongeurs, chacune offre des émotions différentes qui se gagnent, pour les plus confidentielles ou les plus sauvages, par des sentiers tapissés de tamariniers. Des chemins douaniers bordés de buissons de papillons, des criques nichées dans la dentelle de la roche ou du morne Vitet riche de panoramas, l'île se révèle dans ses aspects changeants. Mais, partout ancrées dans le paysage aride et accidenté, les cases égayées d'audacieuses couleurs se dispersent dans les vallées et au creux des mornes. En tout lieu, la sécheresse et l'érosion font affleurer la roche, sur les murets qui découpent l'île comme une carapace de tortue, partout, la pierre sèche quadrille le paysage. Volcanique, elle impose aux petites murailles qui délimitent les parcelles de terre ses harmonies bleutées. Calcaire, elle imprime des teintes plus austères, qui s'animent du rouge du soleil couchant. Les fleurs sauvages des ravines, les lauriers-roses, les grands lis ou le jasmin des jardins ajoutent, comme un défi à l'ingratitude des lieux, d'autres notes de couleur. Mais, à l'exception des lataniers, des poiriers-pays ou du gaïac, pilier et garant de la case saint-barth, le paysage est habité d'espèces familières de l'ardeur du soleil : agaves, cactus-cierges, têtes-à-l'anglais, figuiers de Barbarie, yuccas hérissent de leurs piquants un décor de western.

Au vent et sous le vent de l'île

Au vent ou sous le vent de l'île se tissent des réseaux d'habitudes particulières. Habitat, costume, langage, manières de vivre se soumettent aux caprices et aux fureurs des vents. Les cases ont pourtant en partage la petitesse, les toitures colorées, l'ornementation des jardins, délimités par de fines couches de sable corallien. La citerne, qui remplace les jarres de pierre d'antan, restitue le souvenir de cette pénurie d'eau qui faisait souffrir l'île en ce temps

En haut à gauche. Traditions vestimentaires des femmes de la Côte sous le Vent. Musée de Wall House.

Ci-dessus. Déclinaison des amarres du latanier en objets artisanaux.

En haut à droite. Irruption des traditions carnavalesques dans la modernité touristique.

où les femmes parcouraient des lieues entre les buissons d'épineux, leur récipient sur la tête. Mais, différente d'un bord à l'autre de l'île, la case à vent, à l'origine crépie de *cayes à chaux*, offre un visage trapu et solide pour lutter, grâce à son ingénieuse charpente et à ses ouvertures étroites, contre la violence des ouragans. Mieux préservée de leurs assauts rageurs par sa situation sous le vent de l'île, la case en bois autrefois couverte d'essentes, comme une carapace rugueuse, adopte les coquetteries des fanfreluches et des dentelles. À l'intérieur des maisons, des images pieuses et des statuettes témoignent, comme les autels improvisés en pleine nature ou l'ordonnance émouvante des cimetières, de la rare ferveur des habitants. Sur le parvis des églises, les *gangones* portent encore le costume traditionnel des quartiers sous le vent, la robe de cotonnade, parfois le tablier à fleurs. Signe supplémentaire des variations même vestimentaires qu'inspire sur une île si petite le climat quand, à la pointe Milou ou à Toiny, la robe de rude toile bleue, la lourde coiffe et la cape s'imposaient, alors que les paysannes de Corossol ou de Colombier arboraient la blancheur et la légèreté de la *calèche*. Les activités des hommes se soumettent aussi aux

impératifs du climat, même si, de part et d'autre de la côte, les Saint-Barth surent, au temps du père Morvan, faire du tressage de la paille et de la fabrication du panama surtout une ressource capitale. Au rythme des hamacs ou des berceuses, les vieilles femmes de Lorient et de Corossol se souviennent toujours de la tresse à jours ou de la tresse à nœuds. En retrait des violences marines, la Côte au Vent cultivait les traditions aléatoires de l'élevage et de l'agriculture tandis que, sur l'autre bord de l'île, pêcheurs, marins et négociants profitaient davantage des eaux poissonneuses et de la route maritime qui menaient les grands voiliers vers Carénage. Les parlers des différents quartiers de l'île indiquent d'autres nuances d'un monde qui vit sous le signe des alizés comme des tempêtes. De Vitet, Toiny ou Marigot, on passe du créole très particulier à l'île au français archaïque de Saline et de Gouverneur, alors que Flamands ou l'anse des Cayes restent fidèles au patois.

Accrochée à ses traditions comme au précieux capital de sa beauté naturelle, Saint-Barth privilégie un tourisme de luxe sensible à l'urbanisme et à la protection de la faune et de la flore. L'île respecte encore ses vieux lataniers échevelés et la richesse somptueuse de ses fonds marins. Les tourterelles et les oiseaux sucriers vivent en paix, mouettes, fous de Bassan et frégates exécutent leurs numéros de voltiges au-dessus des rivages déserts... Une escale paradisiaque jalousement protégée par une couronne d'îlots : Chevreau, Frégate, Toc Vers, en faction devant un décor de rêve.

SAINT-MARTIN/
SINT MAARTEN

Satellite égaré de la planète Guadeloupe, Saint-Martin, malgré sa dépendance administrative, échappe aux séquelles ordinaires d'une colonisation à la française. Exilée et comme indifférente aux lois de la République, sa filiation avec la métropole semble de pure forme, une gravitation occasionnelle libre de ses circonvolutions et de ses improvisations. Un partage d'eaux bleues, de mornes rocailleux et de salines n'a pas davantage forgé de liens avec Saint-Barthélemy, sa proche parente par la géographie. Situées toutes deux au milieu des Antilles étrangères, leurs affinités historiques se limitent à une réputation de commerce interlope, à une législation de port franc et à cet isolement qui façonne la personnalité des îles du Nord et les assigne à un destin singulier. Mais la véritable fraternité est ailleurs, héritée d'une fréquentation assidue de son environnement anglo-américain et d'une symbiose naturelle avec sa partie hollandaise. Si ces îles de boucaniers et de corsaires ont connu des cohabitations provisoires et de fragiles ententes, Saint-Martin est seule à se prévaloir d'une telle partition, d'une copropriété étonnante sur un morceau de terre si exigu et d'une fidélité de plus de trois siècles à un traité de paix.

Un monde cosmopolite

L'île, malgré son apparence internationale d'aujourd'hui, n'a pas toujours échappé aux conflits d'intérêts des puissances européennes qui rêvèrent jadis de terres promises. Avant la signature en 1648 des accords entre les deux souverainetés, Saint-Martin connut

Ci-dessus. Revendeuses de Philipsburg.

En haut. La couleur antillaise s'efface devant les mirages de l'américanisation qui sédimente une population cosmopolite.

aussi l'esprit de conquête que la découverte du Nouveau Monde entraîne dans son sillage. Dans le jeu systématique de l'expansion et de la course coloniales, on retrouve toujours les mêmes acteurs... Les investigations archéologiques sur le site de Hope Estate et l'ancienneté des céramiques montrent bien la vocation de refuge et de réserve que constitua pour les Amérindiens cette terre de salines. L'arc antillais est alors lieu de passage, d'influences et de contacts étroits, et il est probable que les Taïnos, familiers des Grandes Antilles, aient laissé à Saint-Martin comme à Porto Rico des traces d'une civilisation dont la figure du cacique est l'emblème. Avec la disparition des populations indigènes, les mouillages sous le vent accueillent, après les premiers flibustiers, les marins de toutes nationalités qui croisent dans la mer des Antilles. La vocation cosmopo-

lite de Saint-Martin semble héritée de cette période troublée par des rivalités et des guerres sporadiques entre Français, Hollandais et Espagnols qui, forts du passage de Christophe Colomb, revendiquent la propriété de ce domaine maritime. À l'issue de combats et de négociations diplomatiques, l'île adoptera une double nationalité, qui prévaut encore. Des versions fantaisistes agrémentent la réalité historique d'une scission aujourd'hui purement symbolique et sans frontière matérialisée.

Propriétaires des salines providentielles du Sud, les Hollandais laisseront aux *petits habitants* une plus grande superficie de terres souvent morneuses, propices, dans les fonds et les savanes, à l'élevage et à l'agriculture de subsistance. Les denrées tropicales comme l'indigo et le coton s'adaptent aussi au climat de cette île sèche, d'une pauvreté désespérante. Dans les ruines et les déso-

En haut. Le pic du Paradis, dans la partie française de Saint-Martin.

Ci-dessus. Céramique Adorno zoomorphe : chien. Période huécoïde, 400-300 av. J.-C. Fouilles de Hope Estate. Musée de Saint-Martin.

Page de droite. Un canon, vestige des batailles maritimes qui se déroulèrent au XVIIᵉ siècle entre les Français, les Anglais et les Hollandais.

lations des guerres franco-anglaises, qui s'accompagnent pour les Antilles de changements momentanés d'identité, l'administration coloniale délaisse cette dépendance largement ouverte aux étrangers. Mais, avec la paix provisoire générée par le traité de Paris, moulins à bêtes et batteries s'implantent dans les quartiers de Marigot et de Colombier et participent aux mutations agricoles déjà amorcées dans la partie hollandaise. Une modeste vague sucrière, balayée par l'évolution industrielle des grandes îles à cannes, décisive néanmoins pour ses conséquences sur le peuplement de l'île... Les Noirs, affectés aux plantations des petits colons blancs, viennent s'ajouter aux différentes composantes ethniques qui fondent déjà la personnalité de Saint-Martin. Les pratiques commerciales initiées sur l'exploitation des salines de Groote Zoutpan, de Grand-Case ou d'Orléans contribueront également à ces brassages de populations qui donnent à Saint-Martin son caractère si peu français. La diversité des cultures, des religions et des langues, où domine l'anglais, doit beaucoup à cette activité d'import-export qui ignore exclusif et monopole et profite d'une position géographique privilégiée.

Une escale touristique

Ouverte sur les États-Unis, les îles anglophones et les autres territoires de la Caraïbe au temps où les conflits mondiaux isolent la Guadeloupe, l'île reflète aujourd'hui les caractères composites de ces différents mondes, un miroir où l'Amérique occupe le premier plan. Dans ce paradis fiscal propice aux dérives et aux trafics orchestrés par le dollar, les promesses du tourisme ont ouvert la voie à de nouveaux marchés. Sur la carte postale idéale d'un vaste lagon et d'un chapelet doré de plages, de baies et de criques, Saint-Martin offre des rêves aux voyageurs et des escales aux coureurs de mers tropicales. Au rendez-vous des sables et des eaux bleues, Orient Bay dispute sa célébrité à d'autres édens. Mais, au-delà des calmes mirages et des baisers turquoise de Nettle Bay ou de l'anse Marcel, surgissent d'autres émotions marines : inoubliables plongées de Friar's Bay, remarquables fonds de coraux et de poissons sur les récifs de Dawn Beach... Avec Saint-Barth ou Saba pour ligne de mire, les vagues de Guana Bay, tout comme celles de Mullet Bay, garantissent de grands frissons aux surfers. Mais les vrais bonheurs se gagnent au terme de chemins escarpés qui conduisent en des lieux plus sauvages comme Cay Bay. Cette exploration du littoral, au large des aménagements hôteliers, révèle les caractères majeurs d'une terre reliée par des cordons littoraux. Ceux qui, entre une vaste lagune, soudent les terres basses au reste de l'île marquent aussi la disparité d'un relief qui culmine au pic du Paradis. Dans cet espace montagneux, des sentiers de randonnée serpentent entre les crêtes des mornes et rompent les images imposées par le sel et le vent. Des sommets rocailleux entre lesquels se glissent des coulées de nature, l'île dévoile bien d'autres panoramas, mais les plus belles échappées appartiennent toujours à l'horizon marin. Les îlets Caye Verte ou Pinel sont les familiers de la baie d'Orient ou du rivage du Cul-de-Sac, mais c'est au large de cette côte est que l'on découvre Tintamarre, un insolite morceau de terre française. Théâtre parfois tragique des premières aventures aéronautiques, l'île a gardé la mémoire de ces pionniers qui parièrent sur le ciel pour rompre l'isolement. Autrefois terrain d'atterrissage périlleux, la plage parle à nouveau d'éternité, tout comme celles d'Anguilla, la parente anglaise à portée du regard de Grand-Case. Dans ce somptueux décor, la fièvre touristique, initiée dans la partie hollandaise, a rapidement gagné les plus beaux sites de l'île. Complexes hôteliers, résidences et restaurants investissent un littoral parfois trop bétonné par les promoteurs. La vie nocturne et les casinos prolongent l'illusion tropicale, tandis que Marigot comme Philipsburg, la capitale hollandaise, offrent à tous les songes leurs innombrables vitrines de produits détaxés. Mais le dépliant touristique a son envers, ces ghettos d'immigrés de la misère des Caraïbes. À Saint-Martin, les disparités sociales sont tristement

significatives des options particulières d'une île aujourd'hui forte-
ment américanisée, un miroir aux
alouettes pour l'immigration clan-
destine... Marginalisée par son
éloignement comme par son histoire, l'île, par sa double identité,
s'est amarrée au monde
des affaires et des spéculations
internationales et se soumet
difficilement au cadre législatif
de la métropole. Malgré un
dialogue plus soutenu, une volonté
avérée de surmonter les dysfonctionnements et les contradictions
économiques et sociales, la
Guadeloupe se heurte au cosmo-
politisme de la population saint-
martinoise, ancrée dans une
culture originale dont l'usage
généralisé de l'anglais est le
signe. De loin en loin apparaissent
des éclats, des fragments d'images
insolites : salines encore désertes,
couleurs hollandaises des maisons
de Philipsburg, cases de Marigot,
dont le marché est un carnaval
d'épices où traînent aussi les
odeurs tropicales des fruits mûrs.

Avec pour toile de fond océane
les îlets de Pinel (en bas) et de Caye
Verte (en haut), le littoral d'Orient Bay
étire ses sables de rêve.

LA CROISIÈRE DANS L'ARCHIPEL DE LA GUADELOUPE

La Guadeloupe offre une riche aire de petite croisière avec les îles avoisinantes : Marie-Galante, l'archipel des Saintes et, plus loin au nord, Saint-Barthélemy et Saint-Martin. Seule la Désirade, dépourvue de bon mouillage, est délaissée par les plaisanciers. La saison la plus favorable se situe de décembre à avril : peu de pluie et un alizé de secteur est, soufflant rarement à plus de force 6. De mai à novembre, les pluies sont plus fréquentes, les vents plus irréguliers, à la fois en force et en direction, avec des calmes, parfois des vents d'ouest et possibilité de dépression tropicale, voire de cyclone. Les grains, brefs et quelquefois violents, surviennent en toute saison, avec leur cortège de ciel noir, d'averse et de vent. Avec des brises soufflant en majorité entre nord-est et sud-ouest, les mouillages se prennent sous le vent des îles ou de la côte, ou à l'abri d'une barrière de corail. Le balisage est du type A, c'est-à-dire inversé par rapport à la zone B européenne : rouge à tribord, vert à bâbord lorsque l'on vient du large.

À l'abri derrière la barrière de corail et l'îlet Gosier, par 2 à 3 m de fond, un mouillage aux reflets de lagon polynésien.

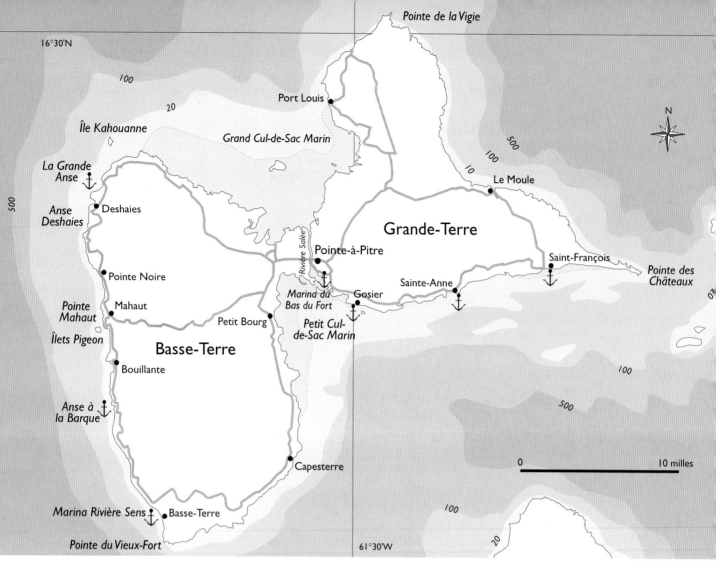

Pointe de la Vigie

16°30'N

100

20

Île Kahouanne

Grand Cul-de-Sac Marin

Port Louis

Le Moule

500

100

10

La Grande
Anse

Deshaies

Anse
Deshaies

Pointe Noire

Mahaut

Pointe
Mahaut

Îlets Pigeon

Basse-Terre

Bouillante

Anse à
la Barque

Petit Bourg

Rivière Salée

Pointe-à-Pitre

Grande-Terre

Marina du
Bas du Fort

Gosier

Sainte-Anne

Saint-François

Pointe des
Châteaux

Petit Cul-
de-Sac Marin

500

100

100

500

0   10 milles

Capesterre

Marina Rivière Sens

Basse-Terre

Pointe du Vieux-Fort

61°30'W

100

20

N

La digue du port de Saint-François est
délaissée par les plaisanciers depuis
la construction et le développement
de la marina proche des hôtels.

Partagée en deux par la rivière
Salée, la Guadeloupe offre trois
marinas et cinq mouillages principaux. Une croisière dans l'archipel commence logiquement par
Pointe-à-Pitre et les mouillages
de la Grande-Terre, se poursuit
vers Marie-Galante, les Saintes,

puis la côte sous le vent de Basse-
Terre. Il est ensuite possible soit
de continuer cap au nord vers
Saint-Barthélemy, à 110 milles,
avec une escale intermédiaire à
Antigua, soit de revenir vers
Pointe-à-Pitre par la rivière
Salée.

LA MARINA DU BAS-DU-FORT

Proche de Pointe-à-Pitre, elle a été créée en 1978 à l'occasion de la première Route du Rhum, alors qu'auparavant les voiliers de passage, rares il est vrai, stationnaient dans la baie dite du Carénage. Depuis lors, la marina n'a cessé de se développer : des pontons ont été ajoutés, année après année, puis le vaste lagon bleu a été à son tour équipé au point que la marina peut maintenant accueillir mille bateaux jusqu'à 35 m de long, qui disposent de plusieurs possibilités d'amarrage : sur ponton avec cat-ways, à l'ancre avec l'arrière au quai d'honneur pour les plus grosses unités ou sur bouées. La marina du Bas-du-Fort, avec sa capacité et ses équipements, est ainsi devenue le plus important port de plaisance des Antilles françaises. Il est possible d'y effectuer les formalités d'entrée et de sortie aux bureaux de la douane et de l'immigration, installés dans le local de la capitainerie. La marina offre toutes les facilités souhaitables : avitaillement en carburant et en eau douce, douches, supermarché, laverie, location de voitures, restaurants et commerces. Les services techniques sont groupés autour d'un terre-plein, au fond du port : travel-lift, chantiers, mécaniciens, voiliers, électroniciens de qualité. D'autres professionnels sont installés dans la baie du Carénage, plus proche de Pointe-à-Pitre, avec un chantier disposant d'un dock flottant et d'un shipchandler. La plupart des loueurs de bateaux de Guadeloupe sont dans la marina.

Les visiteurs trouvent place au ponton 6, le plus proche de l'entrée, les grands yachts face à l'ouest, les autres au vent du ponton. Contact par VHF, canal 9.

Pour qui veut économiser les droits de stationnement, le mouillage est gratuit à l'abri de l'îlet à Cochons, à un demi-mille de la marina.

La ville de Pointe-à-Pitre, avec ses ressources et son marché pittoresque et bien approvisionné, au bord du quai, est à plus de 2 km. On y accède par un service de bus ou en annexe.

La marina du Bas-du-Fort à Pointe-à-Pitre, un ensemble de plans d'eau et de pontons qui peut accueillir plus de mille unités depuis les derniers travaux d'aménagement de la partie sud.

Double page suivante. Au sud de l'ensemble hôtelier Méridien, dans le magnifique lagon de Saint-François, les navires peuvent profiter d'un mouillage entre la plage et la barrière de corail. Le bassin naturel, où les fonds ne dépassent pas 3 m, offre toutes les joies du snorkeling et de la plage. Faisant face aux alizés, c'est un spot recherché par les amateurs de planche à voile, qui trouvent là un vaste plan d'eau agréable, à l'abri de la houle formée de l'Atlantique.

En haut. L'accès à l'anse de la baie de Sainte-Anne nécessite une approche prudente par deux passes balisées avant de venir mouiller devant la grande plage du club Méditerranée.

Ci-dessus. L'îlet Gosier, proche de la sortie du chenal de Pointe-à-Pitre, offre un mouillage par 2 à 3 mètres de fond de sable de bonne tenue.

Page de droite. Située au cœur d'un complexe touristique récent, la marina de Saint-François permet de ravitailler avant de gagner les îles de Marie-Galante ou de la Dominique.

LA RIVIÈRE SALÉE

Elle permet aux yachts calant moins de 2 m d'éviter la route par le sud et l'ouest de Basse-Terre. Le pont routier ouvrant chaque matin à 5 h 30, la tactique consiste à venir mouiller le soir juste à côté. Les mangroves de la rivière Salée constituent le meilleur abri de la Guadeloupe en cas de menace de cyclone.

GOSIER

Devant une plage fréquentée, Gosier offre un joli mouillage en eau claire, abrité par un îlot et par une avancée de corail, sur fond de sable. Le bourg présente de larges possibilités d'avitaillement et de bons restaurants.

SAINTE-ANNE

La baie s'étire devant une superbe plage de sable blanc, occupée par les « gentils membres » du Club Méditerranée qui s'est réservé ce site exceptionnel. Le mouillage, bien ventilé, est abrité par des avancées de corail, et l'accès, sommairement balisé, exige de l'attention.

LA MARINA DE SAINT-FRANÇOIS

L'accès à la marina nécessite d'emprunter un chenal balisé entre des hauts-fonds coralliens, en théorie dragué à 2,50 m, mais réservé en fait aux bateaux calant moins de 2 m. L'approche de nuit est à déconseiller. Si elle offre moins de services que celle du Bas-du-Fort, la marina de Saint-François ne manque pas d'attraits : hôtels luxueux, belle plage, golf et courts de tennis. Sauf par fort vent d'est, il est possible de mouiller à l'est de l'entrée de la marina, par fonds de 2 m, devant l'hôtel Méridien, en profitant de l'abri des plateaux coralliens qui cassent la houle du large.

Au large de la pointe des Châteaux, Petite-Terre recèle un mouillage sauvage entre deux îlets inhabités, par 2 à 3 m d'eau. Lieu confidentiel où quelques Pontois aimaient venir le week-end en vedette rapide pour y savourer, autour du ti-punch dominical et du pique-nique créole, toutes les joies de la baignade. Sur Terre-de-Bas, édifié en 1835, l'un des plus anciens phares du Nouveau Monde reste la curiosité principale. Les navettes qui proposent des excursions au départ de la marina de Saint-François apportent, semble-t-il, une trop grande fréquentation pour ces quelques arpents de sable et de coraux où langoustes, iguanes et oiseaux marins se raréfient. Passés les horaires touristiques, ce site pour Robinson ne manque pas de charme, mais peut vite se révéler inconfortable par vent frais de nord-est. Ne s'y rendre en voilier que par conditions météo stables et brise modérée, surtout si l'on désire y passer la nuit.

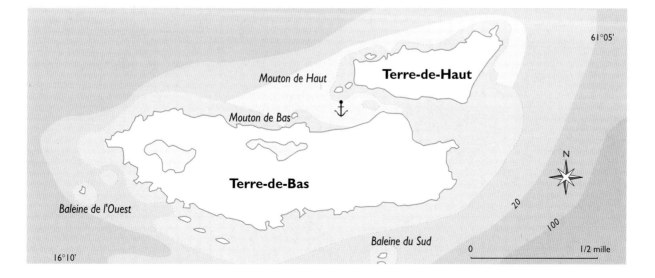

Marie-Galante

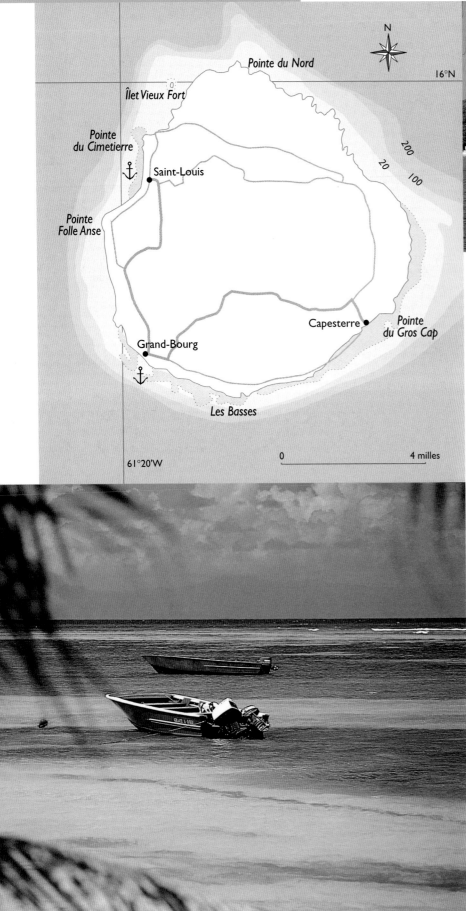

Devant le petit bourg de Saint-Louis.

Découverte par Christophe Colomb le 3 novembre 1493, l'île, désormais célèbre pour la qualité de son rhum, est un vaste plateau calcaire. Vue du large, elle ressemble à une galette. Située à 25 milles à l'est de Pointe-à-Pitre, elle exige le plus souvent une route au louvoyage pour accéder à l'un de ses abris : la baie des Irois, Saint-Louis, devant un village de pêcheurs, ou le petit port de Grand-Bourg. Les deux premiers sont rouleurs par vent de nord-est, et l'on préférera jeter l'ancre au nord-ouest de la jetée de Grand-Bourg, par 4 à 5 m de fond, après avoir franchi la passe balisée par deux bouées. Relativement peu fréquentée par les plaisanciers, Marie-Galante est paisible et offre à terre de belles promenades entre les plantations de canne à sucre.

Le grand lagon de Grand-Bourg, à aborder avec précaution pour venir ancrer, peu après la passe, sans trop s'approcher de la plage, qui manque de fond.

Les Saintes, l'archipel béni

À une vingtaine de milles au sud de Pointe-à-Pitre, les Saintes forment un paradis à part : ses cinq îles, peuplées de 3 000 habitants, descendants de pêcheurs bretons et normands, abritent une rade parfaite où toute la flotte de l'amiral de Grasse trouvait place. Une mini-piste d'atterrissage creusée dans une colline n'enlève rien au charme de l'archipel. La séduction réside dans la beauté d'un site qui, avec son « pain de sucre » et ses plages, semble un modèle réduit de la baie de Rio. Les maisons de style colonial, avec leurs terrasses à colonnades, fleuries de buissons de bougainvillées, leurs toits rouges, leurs volets bicolores, s'échelonnent le long des ruelles grimpant à l'assaut de la colline ou s'égaillant dans la verdure. Les Saintes sont à la fois jardin, ancienne place forte et port de pêche : ses habiles marins, coiffés de leur *salako*, partent en mer sur leurs canots aux formes harmonieuses, peints de vives couleurs et aux noms pittoresques : *Bonne-Fortune* ou *Dieu-Merci*.

Pour les plaisanciers de la Guadeloupe, l'archipel est un but d'excursion très fréquenté, idéal en fin de semaine.

L'accès au ponton du bourg des Saintes, à Terre-de-Haut, se fait en annexe, car la jetée est réservée aux navettes interîles.

On préférera l'anse du Fond-Curé, plus calme.

BOURG-DES-SAINTES

Le principal mouillage de l'archipel se prend devant le village face à une étonnante demeure en forme de proue, avec passerelle et hublots. Les fonds de 8 à 10 m sont de bonne tenue. Ce mouillage se situe à proximité des possibilités de débarquement vers le bourg et ses ressources. Protégé des vents de secteur est, il est malheureusement perturbé, dans la journée, par le trafic des vedettes et la houle qu'elles soulèvent. On trouve plus de calme au sud, dans l'anse du Fond-Curé. L'appontement est réservé aux vedettes – les yachts visiteurs doivent leur laisser la place de manœuvrer.

LE PAIN DE SUCRE

Dans un site ravissant, face à la maison d'un célèbre patron de presse, ce mouillage est plus tranquille, mais parfois un peu rouleur. On sera assez loin du bourg, mais un bon hôtel-restaurant vous accueille dans l'anse du Bois-Joli.

Orientée nord-sud, la baie de Pont-Pierre offre un excellent mouillage abrité, à condition de bien négocier les nombreuses cayes de part et d'autre de l'entrée.

LA POINTE DE LA VIEILLE ANSE

Sur la côte nord de Terre-de-Haut, la baie abrite un chantier naval qui offre des facilités techniques, mais elle est exposée aux vents de nord-est et à la houle.

LA BAIE DE PONT-PIERRE

Peu fréquentée, l'anse, sur la côte est, est d'accès délicat : il faut l'emprunter par bonne visibilité, en surveillant les fonds. Les récifs qui la ferment en grande partie la protègent de la houle du large. Un chemin mène au bourg en quelques minutes, par-dessus la colline.

L'ÎLET À CABRIT

Un bon mouillage, devant une jolie plage, à l'abri d'une île inhabitée.

TERRE-DE-BAS

Plus vaste et plus peuplée que Terre-de-Haut, cette île est beaucoup moins fréquentée. Les habitants, moins sollicités, sont plus accueillants. L'anse à Dos, face au village de Petite-Anse, est soumise à un fort ressac. On lui préférera l'anse Fielding, où le mouillage se prend par 3 m d'eau, fond de sable. Un peu de houle par vent de sud-est et rafales tourbillonnantes.

Le retour des Saintes ou de Basse-Terre vers Pointe-à-Pitre nécessite le plus souvent de faire route au vent debout. Par brise fraîche, la mer est très agitée devant le cap Capesterre, qu'il est alors conseillé de déborder à 1 mille.

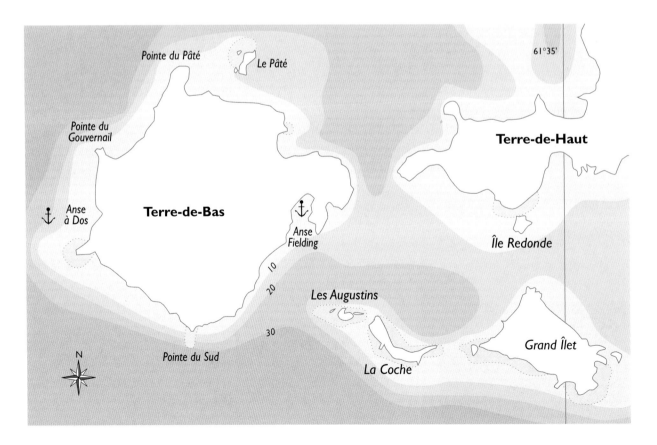

Une halte à la marina de Rivière-Sens, en laissant son bateau à quai, permet de partir en toute quiétude à la découverte du massif de la Soufrière.

L'anse à la Barque : toute la tranquillité d'une petite baie bien abritée, accessible de nuit grâce à son feu à secteur blanc, rouge et vert.

LA MARINA DE RIVIÈRE-SENS

Le plaisancier faisant route vers le nord des Petites Antilles évitera de passer par l'est de la Guadeloupe en contournant la pointe des Châteaux : il devrait affronter à la fois une mer agitée et un louvoyage long et pénible contre l'alizé. La tactique habituelle consiste à contourner la Guadeloupe par le sud et l'ouest de Basse-Terre. Malgré les ressources de la capitale de la Guadeloupe, le mouillage devant la ville, rouleur, est peu fréquenté par les yachts, qui lui préfèrent, à 2 milles au sud, la petite marina de Rivière-Sens, sympathique et accueillante. Accessible de nuit grâce à son balisage lumineux, d'une capacité de 350 places, elle peut recevoir des yachts jusqu'à 20 m.

L'ANSE À LA BARQUE

Les voiliers qui longent la côte, déventés par son relief, doivent souvent recourir au moteur pour gagner l'un des abris entre la pointe du Vieux-Fort et l'île Kahouanne. L'anse à la Barque est une jolie petite baie bordée de cocotiers. Tout le fond de l'anse est occupé par les barques des pêcheurs, et l'on mouille au milieu, par des fonds d'une dizaine de mètres. Aucune ressource, mais beaucoup de charme, malgré la route qui domine le site. L'accès de nuit est aisé grâce au phare d'atterrissage sur la rive nord de l'anse et au phare à secteur situé au fond de la baie.

L'îlet à Goyave, ou îlet Pigeon
(ci-dessus), constitue une halte sur
la remontée de la côte sous le vent
de Basse-Terre, avant de goûter
aux charmes du petit village de
pêcheurs de Deshaies (ci-dessous),
au mouillage pittoresque et animé,
et avant de remonter au nord de l'île.

L'ÎLET PIGEON

Cette réserve, où la pêche et la chasse sont interdites, n'offre que des
mouillages de jour pour explorer les fonds poissonneux. Pour la nuit, il
est possible de s'abriter près de la côte, dans l'anse au nord du petit
village de Pigeon.

DESHAIES

Au nord-ouest de Basse-Terre, c'est un bourg pourvu de commerces,
d'une station-service et de bons restaurants. Il se situe au fond d'une
baie profonde procurant un excellent abri. L'accès est dépourvu de
dangers. Deshaies constitue une escale presque obligée sur la route
vers Antigua et Saint-Barthélemy.

Saint-Barthélemy

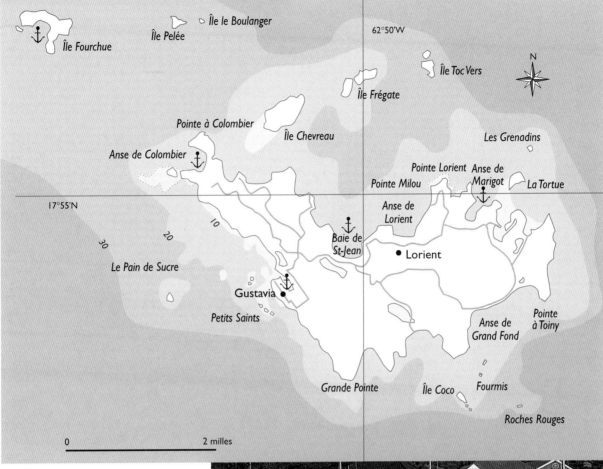

Pointe à Colombier

Anse de Colombier

Île Fourchue
Île Pelée
Île le Boulanger
62°50'W
Île Toc Vers
Île Frégate
Île Chevreau
Les Grenadins
Pointe Lorient
Anse de Marigot
Pointe Milou
La Tortue
17°55'N
Anse de Lorient
10
20
30
Baie de St-Jean
Lorient
Le Pain de Sucre
Gustavia
Petits Saints
Pointe à Toiny
Anse de Grand Fond
Grande Pointe
Île Coco
Fourmis
Roches Rouges
0
2 milles

Même si elles dépendent administrativement de la Guadeloupe, Saint-Barthélemy et Saint-Martin, situées tout au nord des Petites Antilles, forment un petit monde à part. Les plaisanciers venant de Guadeloupe accèdent le plus souvent à Saint-Barth, comme on l'appelle familièrement, en deux étapes : une quarantaine de milles séparent Deshaies d'Antigua, une traversée qui s'effectue en une journée de navigation. Pour franchir les 70 milles entre Antigua et Saint-Barthélemy, il est préférable de partir le soir afin d'arriver dans la matinée.

Saint-Barth comporte un port principal, Gustavia, désormais scindé en deux parties, réservées l'une à la plaisance, l'autre aux navires de commerce. Port franc, Gustavia est devenu un petit Saint-Tropez tropical avec des boutiques de luxe. Dans le sillage de Rockefeller, qui y acquit des terrains et y fit construire une belle maison tout au nord de l'île voici plusieurs dizaines d'années, la ville et surtout les collines dominant la mer sont fréquentées par quelques grands de ce monde, sans nuire au charme un peu provincial du paysage.

Le port de Gustavia, autrefois appelé Carénage, frappe le visiteur par le caractère suédois – insolite dans le paysage antillais – de quelques-uns de ses bâtiments.

Double page suivante. Les places disponibles sont rares dans le port de Gustavia, mais des zones de mouillage s'offrent à proximité de la partie urbaine.

GUSTAVIA

Dans le port de Gustavia, les yachts s'amarrent avant sur ancre, l'arrière à un long quai. Le ressac s'y fait sentir. On peut aussi s'amarrer, dans la partie postérieure du bassin, entre deux bouées. Faute de place, ou pour se soustraire aux droits de port, de nombreux bateaux de plaisance ou trois-mâts charters mouillent devant le port. À Gustavia, on peut côtoyer quelques-uns des plus beaux yachts du monde, voiliers à l'ancienne aux cuivres étincelants briqués par des équipages en uniforme, paquebots personnels ou voiliers célèbres comme le *Gitana* du baron Edmond de Rothschild. Les facilités techniques sont relativement modestes : carburant, voilier, mécanicien, shipchandler bien pourvu, mais aucun chantier ni dispositif de tirage au sec.

L'ANSE DE COLOMBIER

Située au nord de l'île, cette anse est un bon mouillage en eaux claires, sur fond de sable, devant une plage, dans un paysage préservé. En venant de Gustavia, il faut passer bien au large de la pointe débordée de rochers à fleur d'eau. Deux autres mouillages, situés sur la côte nord, ne sont utilisables que par très beau temps et brise modérée.

LA BAIE SAINT-JEAN

L'accès à la baie Saint-Jean exige une bonne visibilité pour pouvoir se glisser à l'est de la barrière de corail qui ferme partiellement l'anse. Le site, devant la plage, est superbe.

L'ANSE DE MARIGOT

L'anse de Marigot est une échancrure profonde dont l'entrée, étroite, est protégée par une avancée de corail. À pratiquer avec prudence, par temps clair, quand le soleil est haut sur l'horizon pour bien repérer la passe. Le mouillage se prend par 3 m d'eau, au centre de la baie. Les îlots de la Tortue et des Grenadins permettent d'intéressantes plongées.

L'ÎLE FOURCHUE

À 5 milles au nord-ouest de Saint-Barthélemy, c'est l'un de mes mouillages préférés. Cet îlot inhabité, pratiquement dépourvu de végétation, affecte la forme d'un boomerang, pointe à l'est. La partie concave procure un bon abri pour une vingtaine de yachts, dans un décor austère et sauvage. En venant de Saint-Barthélemy, prendre du tour du rocher la Baleine, dangereux récif à fleur d'eau qui déborde la pointe sud de l'île et offre, par ailleurs, de belles plongées.

Face au célèbre hôtel Eden Rock, la baie de Saint-Jean est plus particulièrement accessible aux multicoques. Depuis une quinzaine d'années, ce mouillage, interdit aux bateaux habitables, ne laisse donc la découverte de son magnifique lagon qu'aux possesseurs de petites embarcations. L'anse de Colombier reste, avec la baie de Marigot et l'îlot de la Tortue (ci-dessous), l'un des seuls mouillages « sauvages » de Saint-Barthélemy.

Saint-Martin

Découverte par Christophe Colomb le jour de la Saint-Martin, l'île est partagée en deux comme le manteau de son bienheureux patron. En 1648, alors que les Espagnols avaient abandonné l'île, les officiers français et hollandais venus de Saint-Eustache et de Saint-Christophe se réunirent sur une colline appelée depuis mont des Accords. La légende prétend que deux coureurs partirent chacun en sens inverse et que la frontière fut tracée à l'endroit de leur rencontre. Le Français dut se montrer le plus rapide : la partie française de l'île occupe la plus grande superficie, mais non la plus prospère. Les Hollandais furent plus entreprenants dans le développement touristique. Comme Saint-Barth, Saint-Martin est zone franche, exempte de droits de douane. Durement touchée à l'automne 1995 par le cyclone Luis, Saint-Martin a depuis pansé ses plaies.

Dans la partie française de Saint-Martin, la baie de Marigot constitue une halte agréable pour ravitailler avant de partir sur la côte nord et est de l'île, plus sauvage.

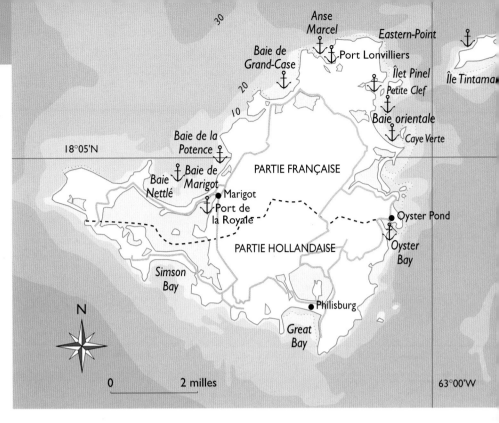

LA BAIE DE MARIGOT

La baie de Marigot constitue un bon abri devant la capitale. L'accès de nuit est facilité par un phare à secteur. La ville est un gros bourg paisible avec, en bord de mer, plusieurs restaurants et hôtels.

En serrant de près la côte vers l'ouest, on trouve l'entrée du court canal qui conduit vers le lagon. L'une des originalités de Saint-Martin est en effet son vaste lagon, qui occupe toute la partie ouest de l'île entre l'aéroport, au sud, et Marigot, à l'est. Avec 3 à 6 m de profondeur, ce plan d'eau constitue un vaste mouillage même si, l'expérience l'a prouvé, il n'est pas complètement sûr en cas de cyclone. L'accès au lagon est possible à partir de Marigot trois fois par jour, aux heures d'ouverture du pont routier. Dans le canal, avant le pont, petit quai à bâbord réservé aux usagers d'un diéséliste.

À la sortie du canal, on trouve des chantiers de part et d'autre, avec stationnement des bateaux au sec, dans des conditions techniques plutôt sommaires. Après avoir franchi le pont, un chenal à main gauche, dragué à 2,50 m, conduit vers Port-la-Royale Marina, où les fonds remontent à 2 m. Cette marina, dont le capitaine de port est une femme, Mme Hée, ne dispose que d'une cinquantaine de postes, et est donc en permanence saturée. Elle offre sur ses pontons eau et électricité, mais pas de carburant. Sur le quai, restaurants et commerces en font un ensemble agréablement animé.

LA BAIE DE LA POTENCE ET LA BAIE DE GRAND-CASE

Venant de Marigot et faisant route au nord le long de la côte, deux indentations, la baie de la Potence et la baie de Grand-Case, offrent des mouillages moins encombrés que Marigot, mais où la houle peut pénétrer par vent de nord-est. À Grand-Case, les restaurants se révèlent plus authentiques et moins chers que dans la capitale, et de petites épiceries permettent un avitaillement sommaire.

Les échappées nautiques vers la côte est de Saint-Martin permettent de découvrir des îlets inhabités, comme Caye Verte, l'îlet Pinel et Tintamarre, dont le mouillage abrité qui se situe dans sa partie ouest permet de profiter pleinement de tous les plaisirs de la plage et de la plongée (ci-dessus). Dans l'échancrure de la côte, l'anse Marcel (page de droite) offre tout le confort d'une marina bien équipée. Port Lonvilliers dispose ses pontons tout autour du complexe hôtelier Méridien.

L'ANSE MARCEL ET PORT LONVILLIERS

Il faut continuer jusqu'à l'anse Marcel pour trouver une véritable marina, celle de Port Lonvilliers, accessible par un étroit chenal, dragué à 3 m – ce qui n'a pas empêché cette petite baie d'être atteinte par le cyclone Luis. Cette marina haut de gamme, avec ses pontons équipés d'eau et d'électricité, accueille 110 bateaux jusqu'à 20 m et abrite un ensemble de qualité : hôtel de luxe, appartements, commerces, le tout destiné à une clientèle aisée. À l'exception du personnel des sociétés de location basées à Port Lonvilliers, la marina ne dispose pas de professionnels du bateau.

L'ÎLE TINTAMARRE, ORIENT BAY ET OYSTER BAY

Après avoir doublé la pointe nord de Saint-Martin, deux mouillages intéressants s'offrent au plaisancier : au large, l'île Tintamarre, inhabitée, comporte une crique sur sa côte ouest, bordée par une belle plage. Le site, austère, est à recommander aux amateurs de nature sauvage. En face et un peu au sud de l'île, la vaste Orient Bay comporte plusieurs bons abris : au nord, entre l'îlet Pinel et la Petite Clef, par 2 à 4 m d'eau ; les bateaux calant moins de 2 m parviennent même à se faufiler à l'ouest de la Petite Clef, où ils trouvent, par 3 m de fond, un bassin parfaitement protégé : au sud, entre la Caye Verte et le récif, le banc de corail casse la houle du large.

À 3 milles au sud d'Orient Bay, un chenal sommairement balisé permet de se glisser dans la minuscule Oyster Bay, à cheval sur la frontière entre la partie française et la partie néerlandaise de Saint-Martin. L'accès est parfois malaisé, voire impressionnant par forte houle, et il faut bien repérer les bancs de corail. À l'intérieur de ce « trou à cyclones », l'abri est parfait. On peut mouiller au centre de l'anse – on est alors à Sint Maarten. La rive nord, elle, est française : un plaisancier, Olivier Lange, séduit par le site, y a implanté un hôtel-restaurant quatre étoiles et une marina d'une capacité d'une centaine de places avec eau, électricité et carburant. Un mini-supermarché permet de compléter les vivres de bord. En cas de problème technique, l'atelier de mécanique de Captain Oliver ou les spécialistes des sociétés de location implantées à Oyster Pond pourront vous dépanner.

LES FONDS SOUS-MARINS DE L'ARCHIPEL DE LA GUADELOUPE

*S*éjourner dans l'archipel de la Guadeloupe sans visiter, au moins une fois, un bouquet de coraux auréolés de poissons tropicaux serait manquer l'une des principales attractions touristiques. Les fonds sous-marins caraïbes enchantent, quels que soient le niveau sportif et l'expérience en matière de voyages de chacun. Avec un simple masque, un tuba et une paire de palmes, le plaisir des yeux est assuré. À 3 m de profondeur comme à 30, éponges et coraux rivalisent de formes et de couleurs avec les poissons. Le décor sous-marin caraïbe ne ressemble à aucun autre. Des milliers de plongeurs ont débuté dans la réserve Cousteau, lieu privilégié pour les baptêmes. La plongée se pratique toute l'année, la température de l'eau oscillant entre 25 et 30 °C. Bien que le maillot de bain soit suffisant, mieux vaut se protéger du contact des coraux et des coups de soleil avec une combinaison légère, de type jersey. La plongée sous-marine dans l'archipel de la Guadeloupe, en nette progression depuis les dix dernières années, suit l'essor du tourisme. Le professionnalisme des clubs garantit la sécurité. En toute décontraction, l'aventure est au bout des palmes.

Dix poissons typiques de l'archipel de la Guadeloupe

Le diodon *(Diodon holocanthus),* dit aussi poisson-ballon. Quand il est effrayé, il se gonfle en aspirant l'eau de mer et hérisse ses épines très pointues. Sa bouche est redoutable, attention aux doigts ! **1**

Le poisson-écureuil *(Holocentrus adscensionis)* se rencontre sous les surplombs des coraux et dans les cavernes. Ses gros yeux noirs attestent sa préférence pour les endroits à faible luminosité. **2**

Le poisson-ange royal *(Holacanthus ciliaris)* est l'une des plus belles espèces de poissons-anges qui ornent communément les fonds sous-marins caraïbes. La forme juvénile porte des rayures bleues phosphorescentes. **3**

Le poisson-soleil *(Heteropriancanthus cruentatus),* dit aussi priacanthe, est très apprécié en gastronomie. Poisson à activité nocturne, il se distingue par des bandes argentées sur le dos. Il fréquente les faibles profondeurs et les cavités. **4**

Le poisson-scorpion *(Scorpaena plumieri)* n'est pas facile à dénicher à cause de son camouflage et de son attitude statique sur le corail. Attention ! Ses épines sont venimeuses. **5**

Le poisson-bourse jaune *(Cantharhinus macrocerus)* se reconnaît à sa forme plate, losangique, et à sa couleur jaune. Les plus jeunes possèdent des taches blanches disséminées sur tout le corps. Les adultes en sont dépourvus. **6**

Le manioc (*Clepticus parrai*), ou labre créole,
vit de préférence en banc le long des tombants.
Il nage constamment et se reconnaît facilement
à sa robe mélangée de bleu, de violet et de jaune
avec une tache noire au-dessus de la bouche. **7**

Le grand barracuda (*Sphryraena barracuda*)
se rencontre souvent seul. Il est territorial. Il est
impressionnant à cause de sa mâchoire qu'il fait
ici nettoyer par des petits poissons. Il peut
atteindre 1,50 m. **8**

Le poisson-grognon (*Haemulon sciurus*)
se caractérise par sa robe striée de jaune et
de bleu. Il se rencontre généralement en banc le
long des tombants. Malgré son attitude statique,
il se laisse difficilement approcher. **9**

La murène verte (*Gymnothorax funebris*) se
nourrit la nuit. Le jour, elle reste dans son trou,
ne laissant apparaître que sa tête. Elle ouvre et
referme sa bouche continuellement pour
respirer. Elle peut atteindre 1,80 m. **10**

7

8

9

10

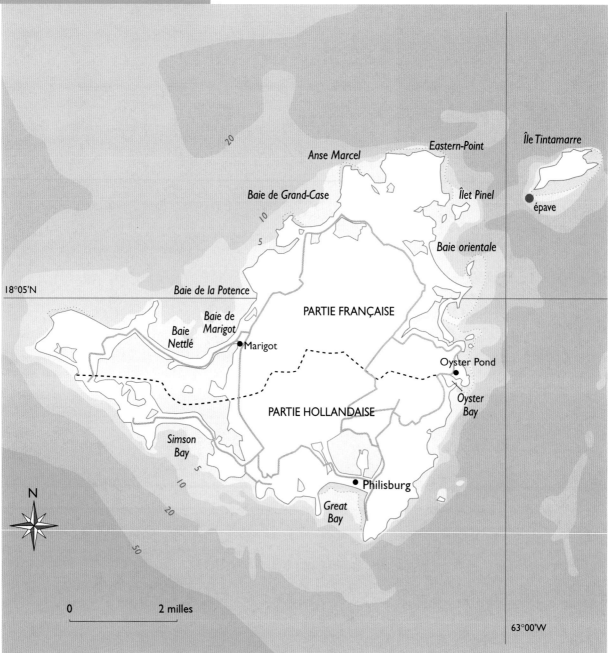

La plongée à Saint-Martin est récente mais prospère. Les clubs nouvellement installés sont nombreux afin de répondre à la demande croissante des touristes. **P**ourtant, les tombants coralliens ne sont pas légion. Située sur un plateau de sable peu profond, l'île de Saint-Martin est principalement entourée de prairies sous-marines. Des épaves ont été coulées en guise de récifs artificiels. **E**n 1990, au pied de l'îlot **Tintamarre**, à l'est de Saint-Martin, un remorqueur a

sombré. C'est l'une des plongées à conseiller. Ancré dans le sable, une chaîne étendue à la proue et une hélice aux pales à peine ensablées, le bateau repose intact par 12 m de fond. Les concrétions jaunes et rouges recouvrent peu à peu une coque de 20 m de long déjà échevelée de quelques gorgones. Des sergents-majors (poissons rayés noir et argent) virevoltent dans les superstructures. Quelques poissons-anges se baladent, tandis que les rayons du

soleil enflamment leurs parures. Sur ce fond de sable blanc étincelant dans le bleu indigo, tout semble être préparé comme pour une scène de music-hall. Tout autour, des bancs de bécunes – petits barracudas taillés en lames d'acier – se déversent en pluies argentées.

Cette très sympathique immersion peut s'organiser au départ de Saint-Martin ou lors d'une croisière de plongée au départ de Saint-Barthélemy sur la route d'Anguilla.

Saint-Barthélemy

Un crabe rouge au long rostre
(*Stenorhyncus seticornis*) sur le corail.

En bas. Banc de barracudas chassant
dans l'écume, au site de l'Âne rouge.

Les quelque vingt-cinq sites d'immersion de Saint-Barth dépassent rarement 30 m, et, dans leur ensemble, sont peu visités. Afin d'en préserver l'authenticité, un projet de réserve naturelle a été conçu. Cinq zones du territoire maritime sont délimitées. L'une des plus belles plongées de Saint-Barth se situe à l'**Âne rouge**, près de l'île Petit-Jean, à l'ouest de la baie Gascon. Il s'agit d'une aire de la réserve qui englobe toute la pointe Colombier. Le tout-Saint-Barth sous-marin semble s'y donner rendez-vous. Balistes, barracudas, murènes, tortues, requins dormeurs se rencontrent entre les boules de corail coiffées d'éponges tubulaires rouges ou jaunes, entre les forêts de gorgones veloutées, parées de porcelaines nacrées. Les cavités regorgent de surprises. En s'y attardant, le plongeur peut y découvrir une cigale de mer, un bouquet de langoustes… Les poissons-soldats se tiennent sous les rochers dans un passage de courant. Le site de l'Âne rouge possède aussi un tunnel que le plongeur peut traverser.

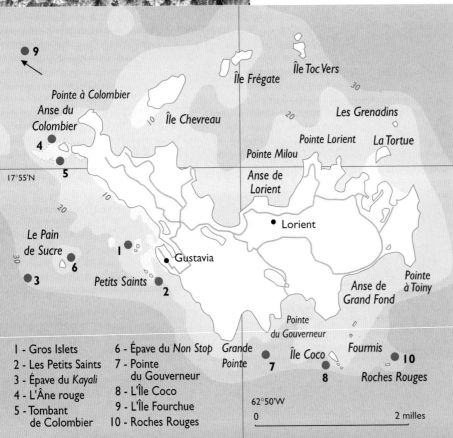

Île Toc Vers
Île Frégate
Pointe à Colombier
Anse du Colombier
Île Chevreau
Les Grenadins
Pointe Lorient
La Tortue
Pointe Milou
Anse de Lorient
17°55'N
Lorient
Le Pain de Sucre
Gustavia
Petits Saints
Anse de Grand Fond
Pointe à Toiny
Pointe du Gouverneur
Grande Pointe
Île Coco
Fourmis
Roches Rouges
62°50'W

1 - Gros Islets
2 - Les Petits Saints
3 - Épave du *Kayali*
4 - L'Âne rouge
5 - Tombant de Colombier
6 - Épave du *Non Stop*
7 - Pointe du Gouverneur
8 - L'Île Coco
9 - L'Île Fourchue
10 - Roches Rouges

0   2 milles

Ci-contre. Une murène verte *(Gymnothorax funebris)* à l'Âne rouge découverte par Alain, le moniteur du club Marine Service.

Au milieu. Bouquet de langoustes *(Palinarus argus)* aux Gros-Islets.

En bas. Groupe de poissons-soldats *(Myripristis jacobus).*

Les lieux de plongée les plus fréquentés se situent autour du Pain de Sucre, au départ de Gustavia. Les débutants font généralement leurs premières armes aux **Gros-Islets** ou aux **Petits-Saints**. Là, les coraux ont construit toutes sortes d'édifices autour de ces deux cailloux surgis de la mer. Le plongeur en fait le tour aisément, les eaux sont calmes, la plongée est facile dans un jardin corallien apprécié de tous. **A**u nord du Pain de Sucre et des Petits-Saints sont balisées deux épaves peu éloignées l'une de l'autre. **C**elle du *Kayali* a été coulée volontairement en 1994. Elle se distingue par l'élancement de son mât vers la surface. Sur un fond de 30 m, le chalut apparaît intact et offre l'avantage d'une visite intérieure en lumière naturelle. **T**rès différente, l'épave du *Non-Stop* a coulé en 1989 contre le gré de son propriétaire, qui fut emporté avec elle. Complètement retournée, elle allonge ses 70 m de coque par 15 m de fond. L'intérieur ne se visite plus, car l'épave a trop souffert du passage du cyclone Luis. Ce qui n'est pas le cas pour la faune et la flore sur les autres sites.

Les Saintes

S'il est un endroit que le plongeur ne doit pas manquer, c'est bien cet archipel des Saintes, composé de huit îles, dont cinq sont des îlots rocailleux et inhabités. Un peintre amoureux des couleurs vives se trouverait bien inspiré par un tel décor sous-marin. **L**a plupart des plongées se font entre les îlots s'échelonnant de la **pointe Morel** au **Gros-Cap**. Certaines autres, au milieu du canal des Saintes, sont réservées aux pratiquants chevronnés. **L**e plongeur emporte le souvenir d'une majestueuse collection bigarrée d'éponges. Elles sont partout. Ornant les roches, elles les surmontent telles des cheminées ocre nuancées de rose. Envahissant le corail, elles le forent avec un acide et font surgir des buissons de branches mauves ou vertes, tantôt noueuses comme des ronces, tantôt raides comme des branches d'arbres. Encroûtant les rochers, elles les couvrent de plaques rouges et orangées, évoquant des coussinets jaunes ou du lichen vert. Accrochées aux gorgones, elles les transpercent parfois comme des boucles dorées.

Ci-dessus. Bouquet d'éponges tubes jaunes.

À gauche. Poisson-ange français (*Pornancanthus paru*) à la robe noire irisée de fines rayures jaunes.

À droite. Composition d'éponges, de corail *Stylastrer* rose et d'hydroïdes aux Saintes.

Poisson-ange gris
(Pomacanthus arcuatus)
et décor d'éponges.

Les **éponges** s'épanouissent au fil des ans selon des formes gigantesques. Certaines s'élèvent telles des oreilles d'éléphant et atteignent parfois 2 m de diamètre. Les plus grosses sont aussi les plus vieilles : elles peuvent compter un siècle. Les plongeurs doivent se souvenir qu'elles ne poussent que de 2 cm par an, et regarder où ils mettent leurs palmes. **L**oin d'être de superbes plantes d'apparat, les éponges sont des animaux. Fixes, elles filtrent l'eau de mer, qu'elles rejettent ensuite. **À** y regarder de plus près, le monde des éponges ressemble à une fourmilière où il y a mille choses à voir. La faune qui se loge dans les replis est une source étonnante de curiosités. Vous verrez les éponges encroûtantes souvent transpercées de vers spirographes qui se déploient comme des fleurs épanouies. Les ophiures, espèces d'étoiles de mer aux bras très fins toujours en mouvement, ont l'habitude de consteller les éponges en forme de baril. Celles-ci servent aussi de cachette au petit crabe-araignée, dont le corps triangulaire est surmonté d'un long rostre.

La porcelaine-monnaie caraïbe
(Cyphoma gibbosum) vit sur
les gorgones et s'en nourrit.

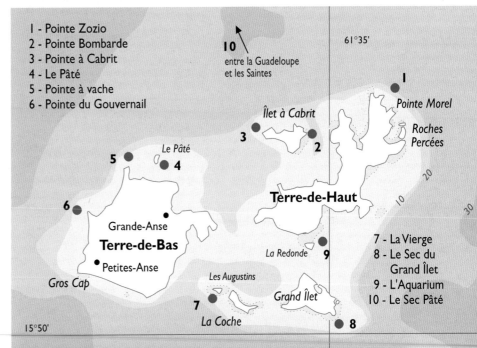

1 - Pointe Zozio
2 - Pointe Bombarde
3 - Pointe à Cabrit
4 - Le Pâté
5 - Pointe à vache
6 - Pointe du Gouvernail

10 entre la Guadeloupe et les Saintes

61°35'

Îlet à Cabrit

Pointe Morel

Roches Percées

Le Pâté

Terre-de-Haut

Grande-Anse

Terre-de-Bas

La Redonde

Petites-Anse

Les Augustins

Gros Cap

Grand Îlet

7 - La Vierge
8 - Le Sec du Grand Îlet
9 - L'Aquarium
10 - Le Sec Pâté

La Coche

15°50'

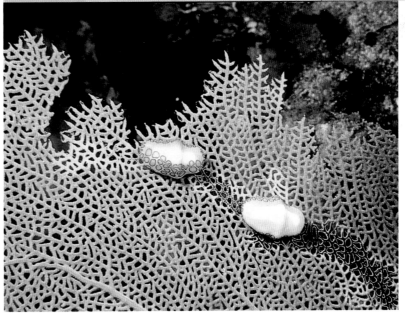

C'est en plein milieu du canal des Saintes que se situe l'une des plus belles plongées de l'archipel de la Guadeloupe : le **Sec Pâté**.

Surgis des profondeurs (de 300 m), deux pitons rocheux remontent jusqu'à – 20 m sous la surface, hors de tout repère. Les courants importants y favorisent le développement d'une faune colorée et disposée d'une façon extraordinaire. Les bancs de caragues, de perches, de barracudas circulent au-dessus d'un fastueux décor de gorgones épanouies, de tuniciers polychromes et d'éponges aux formes généreuses. **L**e site, très vallonné et échancré de failles profondes, nécessite plus d'une plongée pour livrer toutes ses merveilles. Le plongeur, qui devra être confirmé, s'orientera vers l'une des pointes du site. **P**our ceux qui n'ont pas la possibilité, ou le temps, de séjourner au centre nautique des Saintes, une croisière-plongée d'une journée pour le Sec Paté s'organise au départ des principaux clubs de la Guadeloupe.

Ci-dessus. Crevette nettoyeuse parmi les tentacules d'une anémone.

À droite. Éponge de couleur mauve opalescente en forme de vase.

En bas à droite. Accrochée à un tombant, une gorgone au milieu d'éponges.

La richesse de la palette des couleurs tient aussi à la présence de nombreuses espèces de tuniciers, que l'on confondrait facilement avec des éponges. Ils entrent pourtant dans la classe des vertébrés, dont ils représentent les ancêtres. On les retrouve enroulés autour des éponges buissons, rouge sur bleu, ou en colonie de petites boules tel du gui translucide suspendu aux arbres, ou encore en petites framboises de toutes les couleurs, ou en formes géométriques noir et blanc... C'est aussi parmi les éponges des Saintes que l'on peut rencontrer le fameux poisson-grenouille *(Antennarius)*. Fameux parce que curieux à voir : une canne à pêche campée sur le nez et des pattes de canard pour s'asseoir. Il faut se livrer à un véritable jeu de cache-cache pour le dénicher. En effet, le poisson-grenouille imite l'éponge sur laquelle il se tient immobile. Il change de couleur en fonction de son hôte : jaune, rouge, tacheté, rose, orange, bleu...

En haut. L'hippocampe, comme le poisson-grenouille, est rare et difficile à trouver.

À droite. Le poisson-grenouille *(Antennarius)* à l'affût sur une éponge encroûtante.

En bas. Éponges cheminées ocre.

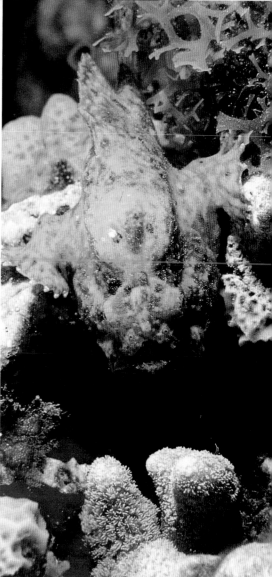

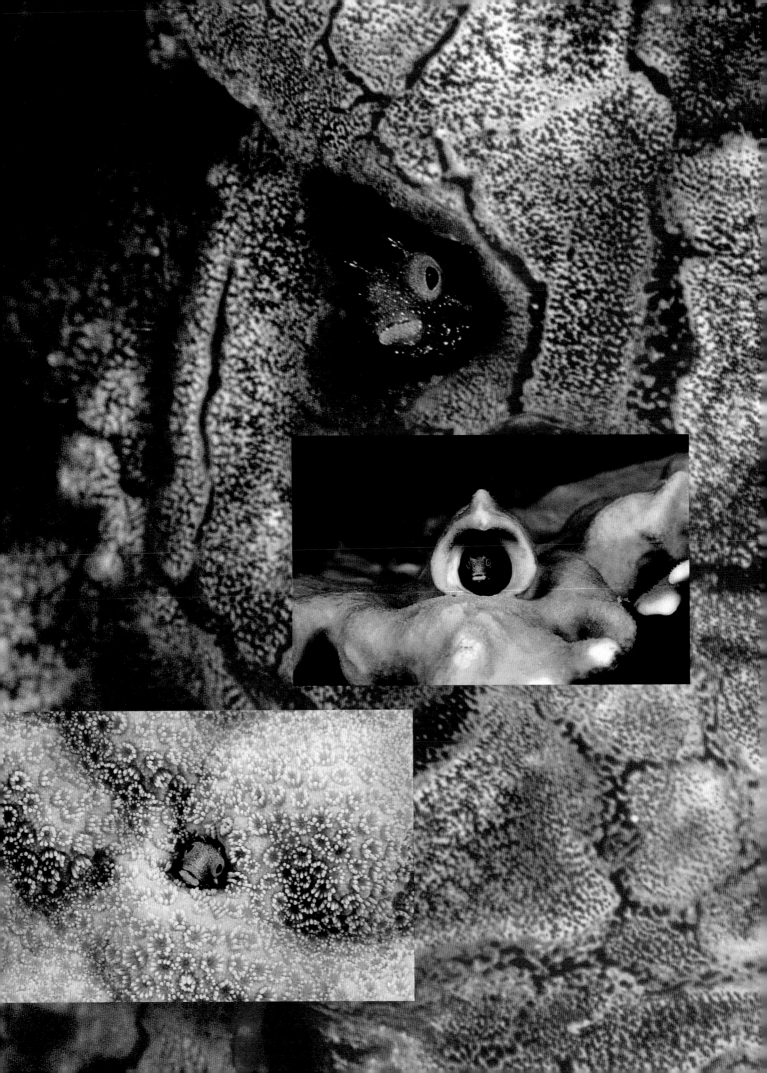

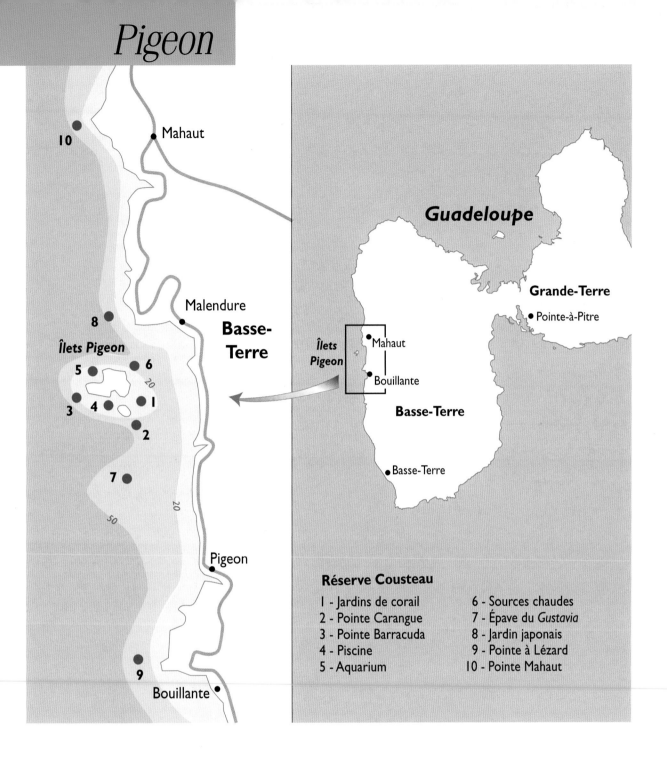

Pigeon

Guadeloupe

Grande-Terre

Pointe-à-Pitre

Mahaut

Îlets Pigeon

Bouillante

Basse-Terre

Basse-Terre

Réserve Cousteau

1 - Jardins de corail
2 - Pointe Carangue
3 - Pointe Barracuda
4 - Piscine
5 - Aquarium
6 - Sources chaudes
7 - Épave du *Gustavia*
8 - Jardin japonais
9 - Pointe à Lézard
10 - Pointe Mahaut

Mahaut

Malendure

Basse-Terre

Îlets Pigeon

Pigeon

Bouillante

Les gobies sont de minuscules poissons qui se cachent dans les anfractuosités du corail ou parmi les éponges encroûtantes.

Dans l'archipel de la Guadeloupe, le haut lieu de la plongée est la **réserve Cousteau**, dite aussi Pigeon. Située autour de trois îlots, elle accueille les plongeurs du monde entier, soit environ 50 000 personnes par an ! Des démarcheurs arpentent les parkings pour vous proposer des plongées. Une demi-douzaine de clubs se sont installés à proximité de la plage de Malendure.

Le mot « réserve » signifie zone protégée : la chasse y est interdite, et les bouées fixées sont obligatoires pour les mouillages. Pas de vagues, peu de courant : c'est le lieu idéal pour les premières plongées. **Pour** ceux qui ne peuvent vraiment pas s'immerger, nous conseillons l'**Aquarium**, situé à Gosier, et les bateaux à fond de verre semi-immergés sur la plage de **Malendure**.

La plongée de nuit se caractérise par un champ de vision rétréci. D'où une attention focalisée sur ce qui est éclairé par le faisceau de la lampe. Et l'impression de découvrir encore mieux les habitants du monde sous-marin. Guy, du club Chez Guy et Christian, rencontre un poisson-diodon dont les épines hérissées témoignent de la peur.

Rencontre entre
un plongeur et un grand
barracuda solitaire.

Les gorgones-éventails
semi-rigides.

La réserve Cousteau est un vivier de futurs plongeurs. Il n'est pas rare d'y voir des tout-petits y faire leur baptême. Ils apprennent à respirer sous l'eau grâce à un détendeur fixé sur la bouteille du moniteur. Ils ne descendent pas, flottent en surface, mais leur émerveillement est le même que celui des adultes. **C**oraux durs et gorgones souples jettent les bases du paysage sous-marin. Il faut faire attention de ne pas frôler les plumes de mer si l'on plonge en maillot : ces longues gorgones souples en forme de feuille de fougère sont urticantes. De nombreux coraux peuvent provoquer des démangeaisons, voire des brûlures. D'autres non. **D**ans tous les cas, il faut se souvenir, avant de toucher le corail, que c'est le travail de milliers de polypes que vous risquez d'écraser. Le polype, l'unité vivante du corail, s'observe déployé surtout la nuit. Il émerge sur la surface calcaire comme une petite fleur. Le corail – cerveaux de Neptune, rochers de corail, pétales de rose – tel qu'il apparaît sous la mer est l'œuvre d'une colonie de polypes sur de nombreuses années.

Les sites de plongée à **Pigeon** se succèdent à portée de palmes. La Piscine, l'Aquarium, la pointe Barracuda, le tombant aux Carangues, les Sources d'eau chaude… **La Soufrière** se visite aussi sous la mer par -23 m et -40 m, où pulsent ses geysers d'eau chaude à 60 °C. La dilution abaisse immédiatement la chaleur. La différence de température crée du brouillard, qui donne l'impression de nager dans une émulsion huileuse. **En** 1991, afin de diversifier le choix des plongées et de créer un récif artificiel supplémentaire, on a volontairement coulé le *Gustavia*, un caboteur de 48 m. Régnant en seigneur sur son territoire, un gros barracuda solitaire annonce l'épave. Une garnison de poissons sédentaires attend le plongeur. Les plus somptueux et les plus caractéristiques des Antilles sont les poissons-anges : jaune vif mêlé de turquoise pour l'ange royal, canevas jaune et noir pour le poisson-ange français. Il n'en fallait pas plus pour marquer à jamais le souvenir de nos plongées passées dans l'archipel de la Guadeloupe.

En haut. Une plongeuse surprend deux poissons-anges français nez à nez.

Ci-contre. Au-dessus d'un tapis encroûtant d'éponges rouges, ces pics de coraux de type *Dendrogyra* s'érigent au soleil comme des statues.

British Miles.

5   10   15   20

Moule Bay

Crown Pt.

LADESIRADE

R-R-E
St François

Castles Pt.
Petit Terre

Read of St François
St Ann's Road
MARIE-GALANTE

Is. d' Houel

C. Cabry
Ance du Vent
C. a la Savan
North Cape

Is. de la Fregate

C. de la Riviere
R. du Rieux

Etanga
Mabouya I.
C. de la Belle Hotesse
R. de la Grande Ance
Mabouya Pt.

MARIE-GALANTE
le Galet

Gr. Ravine
Royal
Camp
Capharnaum

J. Gibson Scu.

GUIDE PRATIQUE

Par Catherine DEBEDDE

La Guadeloupe, l'île aux Belles-Eaux, est un département français d'outre-mer qui compte 440 000 habitants d'origines variées et couvre 1 780 km² de diversité. Des sentiers de montagne aux plages bordées de raisiniers, des savanes de la Grande-Terre aux coulées des vallées étroites de la côte sous le vent, la multiplicité des paysages reste un étonnement constant dans une île de cette dimension. Ce guide se propose de jalonner vos pas et de vous donner le choix des repères et des chemins de traverse qui vous amèneront au cœur d'un pays original et sensible.

VOYAGE

Quelque 7 000 km et 8 heures d'avion séparent la Guadeloupe de la métropole : cela suffit pour se retrouver sur une autre planète, dont l'un des avantages est que l'on y parle un joli français chantant et beaucoup de créole. Si l'aller métropole-Guadeloupe se fait de jour, le retour a toujours lieu de nuit, et la reprise pour cause de décalage horaire (5 heures de moins en hiver et 6 en été) est plus difficile dans ce sens que dans l'autre. Il est donc dans l'intérêt du voyageur de dormir le plus possible à bord. Pour ceux qui ont le temps et qui aiment passer lentement d'un fuseau horaire à l'autre (une heure de plus ou de moins, selon le sens, par jour), il existe encore des compagnies transatlantiques mixtes qui prennent quelques passagers au départ des ports métropolitains.

Formalités

Il ne vous faudra qu'une carte d'identité si vous êtes français et un passeport ou une carte d'identité ou encore une carte de séjour en cours de validité si vous êtes originaire d'un pays de l'Union européenne. Les mineurs sans passeport doivent présenter une attestation d'autorisation de sortie du territoire. Les ressortissants étrangers (États-Unis, Canada, Japon) doivent présenter une pièce d'identité avec photo pour se voir délivrer un visa gratuit pour un séjour de moins de trois mois. À noter que ce visa ne concerne que le département d'outre-mer visité.

Douane

Les restrictions portent sur les alcools et les cigarettes, qu'il est obligatoire de déclarer. Au départ de la Guadeloupe, vous avez droit à 300 cigarettes ou 75 cigares, 1,50 l d'alcool, 4 l de champagne ou de vin, 2 bouteilles de rhum et 37,50 cl de parfum ou d'eau de toilette. Si vous possédez un appareil photo ou un Caméscope, il vaut mieux vous munir des factures, surtout si vous vous rendez dans les îles du Nord. Les douaniers guadeloupéens sont très sourcilleux sur les retours de Saint-Barthélemy et de Saint-Martin, qui sont des ports francs, et sur les documents accompagnant vos appareils.

VIE PRATIQUE

Institutions

La Guadeloupe est divisée en trente-quatre communes et quarante-trois cantons. Son administration passe par trois structures. Le pouvoir local est exercé par le conseil régional et le Conseil général. Le préfet représente l'État. C'est Basse-Terre qui se trouve être la capitale administrative de la Guadeloupe. À ce titre, c'est là que se situent la préfecture, le conseil régional et le Conseil général, ainsi que l'hôtel départemental de la police. Pointe-à-Pitre, poumon économique de l'île, a le rang de sous-préfecture. La police et la gendarmerie sont représentées dans chaque commune et la Direction départementale de contrôle de l'immigration et de lutte contre l'emploi des clandestins, anciennement police de l'air et des frontières, peut être contactée à l'aéroport. À noter également que la Guadeloupe, département français, est représentée à l'Assemblée nationale par quatre députés et au Sénat par deux sénateurs.

Santé

La Guadeloupe est dotée d'un centre hospitalier universitaire dans la proche région pointoise, d'un centre hospitalier général à Saint-Claude et de divers centres hospitaliers spécialisés. Le cadre de santé en Guadeloupe compte également plusieurs cliniques et deux centres de thalassothérapie. Un SAMU est également en place depuis une dizaine d'années.

Argent et change

Comme dans tout département français, c'est désormais l'euro qui règne en maître. Toutefois, à Saint-Barthélemy et Saint-Martin, le dollar est également accepté, surtout en haute saison, c'est-à-dire de novembre à mars. Les chèques hors place ne sont pas vraiment prisés – il y a trop de chèques en bois –, et les commerçants préfèrent nettement la Carte bleue, unanimement acceptée dans tous les magasins équipés. On trouve des distributeurs de billets à peu près dans tous les bourgs. Toutes les grandes banques sont représentées et fonctionnent de 8 h à 12 h et de 14 h à 16 h. Elles pratiquent l'horaire continu, de 7 h 30 à 15 h 30 pendant les vacances, de juin à septembre. À Pointe-à-Pitre, elles sont situées rue Achille-René-Boisneuf, tour Secid et rue Gambetta. À Basse-Terre, autour du cours Nolivos. Toutes les banques et la majeure partie des grands hôtels changent les chèques de voyage et les devises. Toutefois, au-delà de 1 800 euros en monnaie étrangère, une déclaration d'entrée de billets étrangers en France, sur formulaire spécial, est préférable.

Dans la partie néerlandaise de Saint-Martin, le florin reste la monnaie officielle, mais tous vos achats peuvent être effectués en dollars, avec les principales cartes de crédit et les chèques de voyage.

Banques

Banque des Antilles françaises. Tél. : 05 90 93 16 54.
Banque française commerciale, Abymes.
Tél. : 05 90 21 56 70.

Bureaux de change

Pointe-à-Pitre
Change Saingolet : à l'angle des rues Barbès et Nozières. Tél. : 05 90 90 34 63.
Guichet automatique de change :
Crédit agricole de la marina de Bas-du-Fort et du centre Saint-John-Perse : ouvert 24 h sur 24.

Saint-Martin
Change Point. Tél. : 05 90 87 24 85.
Nettle Bay Change. Tél. : 05 90 29 19 18.

Météo

Il fait un temps clément aux îles, c'est bien connu. Les températures varient entre 22 et 30 °C le jour et baissent un peu la nuit, surtout dans les zones d'altitude, telles que Saint-Claude (en janvier 1996, la météo a enregistré des températures de 15 °C en fin de nuit). Il existe deux grandes saisons : l'hivernage, de juillet à novembre, et le carême ou saison sèche, de décembre à avril, considéré comme la haute saison touristique. Les alizés, vents de sud-est, soufflent généralement de janvier à mai : ce sont eux qui rendent très supportables des températures considérées comme accablantes ailleurs. La saison des cyclones commence en juillet et finit généralement vers octobre. Au cours de cette période, les précipitations et les grains sont plus fréquents mais n'excluent pas les belles journées. En 1989, le dernier grand cyclone, Hugo, a ravagé toute la Guadeloupe. En 1995, les cyclones Luis, pour les îles de Saint-Martin et de Saint-Barthélemy, et Marilyn, pour la côte sous le vent et la Basse-Terre, ont fait énormément de dégâts. D'une manière générale, le temps est beau, et les nombreux nuages ne gênent ni la luminosité ni les bains de soleil. La température de l'eau varie de 25 °C en période d'hivernage à 28 °C en saison sèche. En Guadeloupe, le jour se lève entre 5 h et 6 h du matin et se couche entre 18 h et 19 h, avec un crépuscule très court.

Habillement

On s'habille toute l'année légèrement. Cependant, il faut prévoir une petite laine à la saison fraîche, de décembre à avril, et un vêtement imperméable si l'on a l'intention de faire de la marche dans la montagne. Les Guadeloupéens sont très sourcilleux sur la tenue en ville et dans les bourgs, et les visiteurs s'éviteront des regards surpris en mettant un vêtement sur leur maillot lorsqu'ils vont faire leurs achats. Prévoir lunettes et crème solaire et, pour ceux qui y sont sensibles, une crème anti-moustiques.

Organismes de tourisme

Il existe trois offices du tourisme, l'un à Pointe-à-Pitre (tél. : 05 90 82 09 30), un autre à Basse-Terre (tél. : 05 90 81 18 10), le dernier à Saint-François (tél. : 05 90 88 48 74) . C'est là que vous trouverez annoncés les événements culturels et sportifs intéressant l'ensemble de l'île et une foule de renseignements pratiques. Les syndicats d'initiative des communes sont souvent très efficaces : citons celui de Saint-Barthélemy ou celui de Bouillante, sur la plage de Malendure. L'Office national des forêts, dont le siège est à Saint-Claude, est également très actif : il assure notamment le suivi des sentiers de randonnée et des expositions permanentes.

TRANSPORTS

Liaisons internationales

L'aéroport de Pointe-à-Pitre accueille de nombreuses compagnies de charters et de lignes régulières, internationales et locales. Les liaisons avec Paris constituent le gros du trafic. Sur le plan local, c'est la liaison Guadeloupe-Martinique qui vient en tête, démontrant, s'il était nécessaire, la grande mobilité entre les deux îles. De plus, Pointe-à-Pitre assure la liaison aéroport-port des passagers européens jusqu'aux départs des croisières des compagnies dont le périple caribéen commence en Guadeloupe.

Entre les compagnies aériennes françaises, la concurrence est largement ouverte : chacune défend un créneau et un style.

■ *Air France.* Type d'appareils en service : Boeing 747. La compagnie nationale assure 26 vols hebdomadaires et ses prix varient en fonction des périodes. Quatre classes : Espace Première, Affaires, Alizé et Tempo. Il existe des tarifs spéciaux, notamment pour les jeunes. À Pointe-à-Pitre, boulevard Légitimus, tél. : 05 90 82 61 61, fax : 05 90 82 61 13 et 05 90 21 13 03. Centrale de réservation, tél. : 0820 820 820 (tarification spéciale).

■ *Corsair.* Vols charters et réguliers. Type d'appareils en service : Boeing 747.
De trois à six vols hebdomadaires au départ de Paris.
Deux classes : Économique et Grand Large.
À Pointe-à-Pitre, 15, rue Achille-René-Boisneuf, tél. : 05 90 90 36 36, fax : 05 90 91 63 64.
À l'aéroport, tél. : 05 90 21 14 47 ;
fax : 05 90 21 14 40. À Paris : tél. : 0825 000 825 (tarification spéciale).

■ *Air Lib.* Type d'appareils en service : DC 10. deux classes : Azur (économique) et Club Opale (affaire).
Trois vols quotidiens en moyenne au départ de Paris.
Centrale de réservation, tél. : 0825 805 805 (tarification spéciale).

L'aéroport Pôle-Caraïbe assure également la liaison Guadeloupe-Amérique du Nord (Miami, New York, Atlanta, Orlando et Toronto) et la liaison Guadeloupe-Caraïbes Nord (Saint-Barthélemy, Saint-Martin, Saint-Kitts, Antigua,Cuba, la République dominicaine, la Jamaïque, Puerto Rico...).

Il existe également des liaisons directes France-Saint-Martin avec Air France, Air Lib et Corsair. D'autres compagnies européennes, telle KLM, Lufthansa, font également la liaison. American Airlines joint New York, Miami et Saint-Juan à Saint-Martin.

■ *Aéroport Pointe-à-Pitre (renseignements).*
Tél. : 05 90 21 14 32. Infos vols : 08 36 68 97 55.
■ *Aéroport de Grand-Case.* Tél. : 05 90 87 10 42.
■ *Aéroport international de Juliana.* Tél. : 00 5 99 55 42 11.
■ *Air France (renseignements aéroports).*
Tél. : 05 90 82 61 61.
■ *Air France (compagnie aérienne).* Tél. : 05 90 21 13 03.
■ *Air Lib.* Tél. : 05 90 21 14 68.
■ *KLM.* Tél. : 05 99 55 21 20.
■ *Lufthansa.* Tél. : 05 99 55 20 40.
■ *LIAT.* Tél. : 05 90 21 13 93.
■ *Air Guadeloupe.* Tél. : 05 90 21 12 90.
■ *Air St-Barth/Air Saint-Martin.* Tél. : 05 90 21 12 89.
■ *American Airlines.* Tél. : 05 90 21 13 66.
■ *Continental Airlines.* Tél. : 05 99 55 34 44.

La correspondance avec Saint-Barthélemy est assurée par plusieurs vols journaliers (ainsi qu'avec la Guadeloupe). Toutefois, il faut savoir qu'on ne peut atterrir à l'aéroport de Saint-Barthélemy au-delà de 17 h. Dans ce cas, il reste la solution de la liaison maritime par vedette.
■ *Saint-Barth Express.* Tél. : 05 90 27 77 24, fax : 05 90 27 77 23.

Liaisons locales

Depuis la nuit des temps, on se déplace beaucoup et souvent en Guadeloupe : ce sont le contexte îlien et la structure archipélagique qui le veulent. Le plus court moyen pour joindre les morceaux du « papillon » est encore de prendre l'avion. D'ailleurs, toutes les îles de l'archipel sont bien équipées. Si l'aéroport de Grand-Case, à Saint-Martin, ne reçoit que les petits-porteurs, son équivalent en partie néerlandaise, l'aéroport de Juliana, voit tous les jours atterrir les gros-porteurs nord-américains. Et l'aéroport de Saint-Barthélemy – que l'on continue à appeler « la Base » – a perdu en folklore ce qu'il a gagné en efficacité et en sécurité.

■ *Air Guadeloupe.* Types d'appareils en service : Twin Otter, ATR 42 et Dornier. Nombreux vols hebdomadaires vers Marie-Galante, Saint-Martin, Saint-Barthélemy, les Saintes, la Désirade et Fort-de-France. Aéroport de Pointe-à-Pitre : tél. : 05 90 21 12 90, fax : 05 90 21 12 96.
À Paris, tél. : 01 49 53 05 55.
■ *Air Saint-Martin.* Type d'appareils en service : Cessna.
Un vol hebdomadaire vers Saint-Martin. D'autres vols à la demande. Tél. : 05 90 51 02 02, fax : 05 90 21 12 87.
■ *Air Caraïbes.* Type d'appareil en service : Dornier.
Charter. Vols vers Saint-Martin et Saint-Barthélemy.
Tél. : 05 90 21 13 34, fax : 05 90 83 54 66.

Liaisons à l'intérieur de l'arc antillais

■ *Liat.* Type d'appareils en service : Twin Otter.
Vols vers la Dominique, Antigua et la Barbade.
Tél. : 05 90 21 13 93, fax : 05 90 21 13 96.
■ *Air-Guadeloupe.* Vols vers Saint-Thomas et la Dominique.
■ *Virgin Air.* Vols au départ de Saint-Barthélemy vers Saint-Thomas et Sint Maarten (partie néerlandaise de Saint-Martin). Tél. : 05 90 27 71 76.
■ *Windward.* Vols réguliers vers Sint Maarten, Anguilla, Montserrat, Nevis, Saint-Kitts, Saba, Saint-Thomas.
Types d'appareils en service : Dornier et Twin Otter.
Tél. : 05 90 27 61 01.

Excursions par air

Une façon originale d'avoir une vue d'ensemble de la Guadeloupe et de son archipel.
■ *Héli-Inter.* Aéroport du Raizet, tél. : 05 90 91 45 00, fax : 05 90 89 38 00. Vol à la demande. Circuit touristique par hélicoptère.
■ *Océair.* Aéroport du Raizet, tél. et fax : 05 90 93 25 50.
À la Désirade : 05 90 20 25 50.
Survol touristique des Saintes à Petite-Terre, en passant par la pointe de la Grande Vigie. Avion de 3 à 5 places. Départ à 9 h.
■ *Air Caraïbes.* Aéroport du Raizet, tél. : 05 90 82 47 00,
Excursions touristiques. Correspondance en Martinique.

Tour-opérateurs

À côté des grands classiques qui s'occupent plus particulièrement du voyage, de la prise en charge du transport entre l'aéroport et l'hôtel et de l'hébergement, d'autres agences proposent toute une série de prestations à la carte. Toutes les formules sont possibles. Du voyage à l'hébergement, des excursions à la réservation de billets pour un spectacle, en passant par le choix des horaires de plongée, les tour-opérateurs peuvent prendre en charge tout un séjour. À l'intérieur de l'archipel, il existe également des possibilités locales d'excursions ou d'organisation de séjours.

Les classiques

■ *Fram.* Club Framissima Arawak, Le Gosier, tél. :
05 90 84 24 24,
fax : 05 90 84 38 45.
■ *Navitour Voyages.* Pointe-à-Pitre, tél. : 05 90 83 49 50.
■ *JV.* Jarry, tél. : 05 90 26 92 11.
À Paris, tél. : 01 43 35 55 55.
■ *Havas.* Pointe-à-Pitre, tél. : 05 90 90 27 27,
fax : 05 90 90 21 85.
■ *Nouvelles Frontières.* Pointe-à-Pitre, tél. : 05 90 90 36 36,
fax : 05 90 91 63 64.
À Paris, tél. : 0825 000 747 (tarification spéciale).
■ *Vam Voyages.* Pointe-à-Pitre, tél. : 05 90 82 30 52,
fax : 05 90 91 90 10.
■ *Agence Gerville Réache.* Basse-Terre, tél. : 05 90 81 02 01,
fax : 05 90 81 10 69.

Agences toutes formules

■ *Petrelluzzi Travel Agency.* Pointe-à-Pitre,
tél. : 05 90 90 37 77, fax : 05 90 90 32 78.
Une belle carte avec toutes les possibilités de loisirs existants : de la plongée au *canyonning* en passant par le VTT.
■ *George Marie-Gabrielle Voyage.* Pointe-à-Pitre,
tél. : 05 90 82 05 38, fax : 05 90 90 04 82.
Service personnalisé, excursions en car, en bateau et en avion. Parc automobile privé.
■ *Alizés Leaders Tours.* Jarry, tél. : 05 90 26 61 32,
fax : 05 90 26 61 29. Spécialité d'excursions à la journée (en car, à vélo, à pied) sur des thèmes divers (montagnes, archipel, rivières).
■ *Go Voyage.* Tél. : 05 90 83 67 14.
Consultez également Rev'Antilles, Look Outremer, et Jumbo-Jet Tours dans les agences de voyages.

Sur Internet

nouvellesantilles.com
travelprice.com
lastminute.com
directours.com

Dans l'archipel

Les excursionnistes de l'archipel sont un élément précieux pour la découverte de leur île. De plus, ils connaissent les coins tranquilles où se baigner et déjeuner.

La Désirade

■ *Visite de l'île.* Tél. : 05 90 20 02 93.
■ *Désirade Découverte.* Tél. : 05 90 84 71 76,
fax : 05 90 84 54 03. En 4 X 4, avec ou sans guide.

Marie-Galante

Visite à la journée en minibus. Prix forfaitaire.
■ *E. Leveillé.* Tél. : 05 90 97 72 97.
■ *R. Jernival.* Tél. : 05 90 97 73 14.

Les Saintes

Visite en minibus de 13 places.
■ *Sigiscar.* Tél. : 05 90 99 53 08.
■ *Procida.* Tél. : 05 90 99 55 13.

Saint-Barthélemy

■ *Saint-Barth Voyages.* Gustavia, tél. : 05 90 27 79 79,
fax : 05 90 27 80 45. Excursions à Saint-Barthélemy et dans les îles environnantes.

Saint-Martin/Sint Maarten

■ *Saint-Martin Évasion.* Tél. : 05 90 87 73 01,
fax : 05 90 87 75 47. Excursions, activités sportives, bateau.
Sint Maarten :
■ *Calypso Tours.* Tél. : 05 99 54 28 58.
■ *Intermar Travel.* Tél. : 05 99 52 55 54.
■ *Dutch Tours.* Tél. : 05 99 52 59 51.

DÉPLACEMENTS

Les réseaux maritime et routier sont largement utilisés par les Guadeloupéens. Les liaisons inter-îles concernent essentiellement l'archipel guadeloupéen proche (les îles du Nord ne possèdent pas de lignes maritimes et touristiques régulières). Parmi les îles antillaises plus éloignées, c'est avec la Dominique et l'île sœur, la Martinique, que se font les liaisons les plus courantes.
La Guadeloupe possède un réseau de 1 975 km de routes départementales, le plus souvent bien entretenues. Aux Saintes et à Saint-Barthélemy, le revêtement est en ciment et les montées par temps de pluie sont parfois difficiles. Les accidents sur les routes des îles sont fréquents. La prudence s'impose.

Réseau maritime

Sur la darse de Pointe-à-Pitre, quai Gâtine, trois compagnies maritimes proposent des destinations similaires à un horaire de départ commun, soit 8 h du matin : les Saintes, Marie-Galante, La Désirade. Fort-de-France et les Antilles anglophones (la Dominique et Sainte-Lucie) sont des destinations plus excentriques. Il est conseillé d'arriver une heure avant le départ. Le trajet dure, selon le type de bateau, entre 45 min et 1 h vers les Saintes et un peu plus vers Marie-Galante. Il est possible de combiner des trajets Marie-Galante-les Saintes ou Saint-François-les Saintes. Le trajet, en tout cas, ne manque pas de sel. Il existe une vidéo à bord, mais le vrai spectacle, c'est celui des voyageurs : marchandes chargées de denrées pittoresques, natifs de retour au pays et touristes bigarrés.

■ *Compagnie Antilles Trans Express (ATE).*
Tél. : 05 90 83 12 45, fax : 05 90 91 11 05.
Départ vers Marie-Galante (sur Express Turquoise), vers les Saintes (sur Express Antilles), vers la Dominique, la Martinique et Sainte-Lucie (sur Express Saphir ou Express Jetkat II). Combinaison Saint-François, Saint-Louis de Marie-Galante, Terre-de-Haut, retour Saint-François, le mardi, mercredi et jeudi.
■ *Compagnies Brudey Frères.* Tél. : 05 90 91 04 48, fax : 05 90 82 15 62. Départ vers Marie-Galante, les Saintes et Fort-de-France (sur Atlantica). Il existe un trajet Saint-François-les Saintes aller et retour le lundi.
■ *Compagnie LMG.* Tél. : 05 90 89 63 18.
Liaison Pointe-à-Pitre-Marie-Galante tous les jours (sur Trident 5).

À partir de la marina de Saint-François, il existe des lignes régulières :
■ *Compagnies Hydrojet des Caraïbes.* Tél. : 05 90 85 05 18. Départ vers La Désirade (tous les jours, sauf lundi et mercredi) et Marie-Galante (mercredi et vendredi) avec l'Atlante.

La façon la plus pittoresque d'aller aux Saintes est de partir du joli port de Trois-Rivières. On laisse la voiture dans un parking surveillé et on monte dans l'une ou l'autre des deux vedettes appartenant à deux compagnies concurrentes. Le billet se prend à bord et le trajet comprend l'arrêt à Terre-de-Bas puis à Terre-de-Haut. Ambiance assurée.
■ *Deher CTM.* Tél. : 05 90 99 50 68.

Taxis

C'est le moyen le plus simple pour arriver à l'hôtel après une journée de voyage. La plupart des chauffeurs de taxis sont très aimables et n'hésiteront pas à répondre à vos questions et à vous donner de bons conseils. Les taxis possèdent tous un compteur, sauf les voitures de grande remise. À titre indicatif, le tarif Saint-François-aéroport (40 km) est d'environ 53 euros. Par ailleurs, il est possible de louer un taxi-car à plusieurs soit pour visiter l'île ou pour rejoindre

l'aéroport à la fin du séjour, depuis Saint-François ou au Gosier. Pour cela, il suffit de le réserver auprès des hôtels, ou en s'adressant directement aux organisateurs d'excursions.

Pointe-à-Pitre-Les Abymes
■ *CDL Taxis.* Tél. : 05 90 20 74 74.
■ *SOS Taxis.* Tél. : 05 90 83 63 94.
■ *Station de taxis aéroport.* Tél. : 05 90 82 00 00 et 05 90 90 00 00.
■ *Groupement des taxis pointois.* Tél. : 05 90 82 13 67.
Basse-Terre
■ *Taxis de Basse-Terre.* Tél. : 05 90 81 79 70.
La Désirade
■ *Tonton Daniel.* Tél. : 05 90 20 00 62.
Marie-Galante
■ *Bavarday.* Tél. : 05 90 97 81 97.
Saint-Barthélemy
■ *Taxis de Saint-Barthélemy.* Aéroport de Saint-Jean, tél. : 05 90 27 75 81 et à Gustavia, tél. : 05 90 27 66 31.
Saint-Martin/Sint Maarten
■ *Taxis de Saint-Martin* et de Marigot, tél. : 05 90 87 56 54.
Sint Maarten :
■ *Juliana.* Tél. : 00 5 99 55 43 14.
■ *Philipsburg.* Tél. : 00 5 99 52 23 59.

Locations
Voitures de tourisme
La location d'une voiture est sûrement la meilleure solution pour visiter à son aise, muni d'une bonne carte, les campagnes guadeloupéennes. En haute saison, c'est-à-dire de novembre à avril, il faut compter 53 euros par jour pour une voiture moyenne. On loue des voitures partout et surtout dans les lieux touristiques tels Le Gosier, Sainte-Anne ou Saint-François et Pigeon, à Bouillante. Toutes les grandes agences internationales sont représentées à l'aéroport ainsi que dans les grands hôtels. À Saint-François, les agences sont réunies sur le même trottoir de l'avenue de l'Europe, juste avant les grands hôtels et en face du golf. De la location de minibus à celle d'un VTT en passant par le camping-car, tout est possible au visiteur curieux.À l'aéroport de Pointe-à-Pitre

Agences internationales et agences locales se font une dure concurrence et sont également correctes. Une seule règle : privilégier les compagnies qui offrent le plus de garanties, c'est-à-dire un contrat de location et un parc locatif en bon état. Une bonne surprise : l'essence est moins chère qu'en France.

Agences internationales
■ *Avis.* Tél. : 05 90 21 13 54, fax : 05 90 21 13 55.

■ *Budget.* Tél. : 05 90 21 13 48, fax : 05 90 21 13 49.

■ *Europcar.* Tél. : 05 90 21 13 52, fax : 05 90 21 13 53.

■ *Hertz.* Tél. : 05 90 21 13 46, fax : 05 90 21 13 47. Numéro central : 05 90 84 57 94.

■ *Thrifty Jumbo Car.* Tél. : 05 90 21 13 50, fax : 05 90 21 13 51.

■ *Karukéra Car.* Tél. : 05 90 21 13 79, fax : 05 90 21 13 80.

■ *Cara Location.* Tél. : 05 90 21 13 62, fax : 05 90 21 13 63.

Saint-François

■ *Racoon-Car.* Avenue de l'Europe, tél. : 05 90 88 66 41.

■ *Balata Car Rental.* Avenue de l'Europe, tél. : 05 90 88 49 55.

Sainte-Anne

■ *Balad'in Car.* Les Galbas, tél. : 05 90 88 02 33, fax : 05 90 88 28 45.

■ *Nad 'in Car.* Sur la plage, tél. : 05 90 88 32 45.

Bouillante

■ *Solona.* La Lise Pigeon, tél. : 05 90 98 70 26, fax : 05 90 98 72 08.

La Désirade

■ *Loca Sun.* Tél. : 05 90 20 01 11.

Marie-Galante

■ *Magauto.* Tél. : 05 90 97 98 75.

Terre-de-Haut

Pas de location de voitures de tourisme (le parc automobile est limité) : on circule en scooter ou en taxi-bus.

Saint-Barthélemy

■ *Turbe Car Rental.* Tél. : 05 90 27 71 42, fax : 05 90 27 75 57.

Saint-Martin/Sint Maarten

■ *Island Trans.* Tél. : 00 5 90 87 91 32. Sint Maarten :

■ *Avis.* Tél. : 00 5 99 54 27 52.

■ *Budget.* Tél. : 00 5 99 55 42 74.

■ *Carribean auto Rental.* Tél. : 00 5 99 54 52 11.

Location de deux-roues

Albé et Léon, duo de chanteurs comiques antillais, chantent les dangers des deux roues : « À mobylette, ou pas ni casque, ou pas ni frein, ou pas ni lumière, on fam en do'aw, famn-là pas ta'w » (« À mobylette, pas de casque, pas de frein, pas de lumière et la femme que tu transportes n'est même pas la tienne »).

■ *Équateur Moto.* Sortie des hôtels au Gosier, tél. : 05 90 84 59 94, fax : 05 90 84 59 77.

■ *Dingo Location.* Saint-François, tél. : 05 90 88 76 08.

■ *Locatesse.* Pointe-à-Pitre et Sainte-Anne, tél. : 05 90 91 89 93.

Terre-de-Haut

La circulation en scooter est réglementée (cf. l'arrêté municipal, à l'entrée du port). Beaucoup d'agences de location

pratiquent à peu près les mêmes prix.

■ *Azincourt Rent Service.* Tél. : 05 90 99 52 63.

■ *Bécane Lognos.* Tél. : 05 90 99 54 08.

Saint-Barthélemy

Laissez tomber le vélo : le relief ne s'y prête pas. En revanche, on peut louer des Vespa et des motos.

■ *Béranger.* Tél. : 05 90 27 89 00.

Location de minibus et bus

À plusieurs, il est parfois plus avantageux de louer un bus. Pour les excursions en groupe, se reporter à *Tour-opérateurs.*

■ *Liane Promène.* Jabrun, Morne-à-l'Eau. Minibus Espace (excursion et transferts), tél. : 05 90 24 84 74, fax : 05 90 24 84 36.

Saint-Martin :

■ *Société de transports touristiques* (à partir de 15 places). Saint-Martin. Tél. : 05 90 87 56 20, fax : 05 90 87 52 98.

Location de camping-car

■ *Vert'Bleu Location* (4-5 places). Deshaies. Tél. : 05 90 28 51 25.

Transports en commun

Le transport en commun est éminemment authentique pour qui aime prendre son temps et ne craint pas d'être serré entre une grosse dame et un panier de marché. Le « char » s'arrête souvent : on a le loisir d'observer le paysage, de parler avec tout le monde et de voir les choses autrement. Les bornes sont rares : il suffit de faire un signe le long de la route. On monte à l'avant et on paie en descendant (il vaut mieux avoir de la monnaie). Les cars fonctionnent généralement de 5 h à 18 h.

Les départs se font à la gare routière de la darse pour le côté sud de Grande-Terre (Le Gosier-Sainte-Anne-Saint-François), à Mortenol pour le côté nord (Les Abymes-Le Moule-Anse-Bertrand). Les départs pour la région de Basse-Terre se font à la gare routière de Bergevin, vers la droite du port, face à Jarry.

À Saint-Martin, le service de bus marche très bien. Il fonctionne de 6 h à 19 h, au départ de la rue principale de Marigot.

HÉBERGEMENT

Hôtels

L'hôtellerie guadeloupéenne a beaucoup évolué ces dernières années. Actuellement, on compte un total de 10 689 chambres (chiffres de l'office du tourisme) dont une grande majorité groupée dans les régions du Gosier et de Saint-François. La clientèle est française à 85 %, suivie par les Nord-Américains et les Italiens, qui fréquentent plutôt les îles de Saint-Martin et Saint-Barthélemy. À côté des grands hôtels classiques, une série de petites unités a vu le jour notamment sur la côte sous le vent. Enfin, le tourisme vert et la multiplication des gîtes et des chambres d'hôtes ont créé, à côté des hôtels de prestige, une nouvelle façon d'aborder une île aux multiples facettes.

Il faut noter également les différences d'esprit qui existent entre la Guadeloupe et les îles du Nord, fréquentées par une clientèle habituée à un certain type de prestations (télévision et téléphone dans les chambres, climatisation et piscine obligatoires). D'où une réputation d'hôtellerie de luxe (surtout à Saint-Martin) qui n'empêche pas de trouver, malgré tout, des hôtels à des prix abordables et des formules de moindre coût sous forme de studios ou de résidences hôtelières. Précisons que le camping sauvage est interdit dans les îles du Nord et rare en Guadeloupe.

Le Gosier

C'est l'un des hauts lieux du tourisme, avec son bourg pittoresque et l'îlet Gosier au loin. Les hôtels sont principalement groupés à la pointe de la Verdure et à Bas-du-Fort.

■ *Auberge de la Vieille Tour*. Montauban, tél. : 05 90 84 23 23, fax : 05 90 84 33 43. Direction : M. Lebrun. Quatre étoiles. Construit autour d'un ancien moulin à vent. Restaurant réputé. Piscine. Seule plage naturelle du coin. Accueil VIP. Animaux autorisés.

■ *Marissol*. Bas-du-Fort, tél. : 05 90 90 84 44, fax : 05 90 90 83 32. Direction : M. de la Housse. Trois étoiles. Plage et piscine. Activités nautiques. Animaux autorisés.

■ *Novotel Fleur-d'Épée*. Bas-du-Fort, tél. : 05 90 90 40 00, fax : 05 90 90 99 07. Direction : Jean-Luc Hélary. Trois étoiles. Piscine et plage. Activités sportives et piano-bar. Animaux autorisés.

■ *Créole Beach*. Pointe de la Verdure, tél. : 05 90 90 46 46, fax : 05 90 91 98 36. Direction : D. Arnoux. Trois étoiles. Soirées dansantes et animation. Salle de musculation et cours de gym. Plage et piscine. Également location de studios équipés.

■ *Arawak Hôtel*. Pointe de la Verdure, tél. : 05 90 84 24 24, fax : 05 90 84 38 45. Direction : J. Benoît. Trois étoiles. L'immeuble domine la mer. Groupes folkloriques et orchestres le soir. Animaux autorisés.

■ *Hôtel Pergola Plage*. Tél. : 05 90 84 44 44, fax : 05 90 84 23 69. Direction : M. Romanos. Tarif dégressif selon la durée. Gratuit pour les enfants de moins de sept ans. Studios avec vue sur mer et l'îlet Gosier. Restaurant sur place. Piscine et accès plage ainsi qu'au bourg tout proche.

■ *Marifa*. Domaine de Mare-Gaillard, tél. : 05 90 85 96 31, fax : 05 90 85 96 67. Direction : Mme Mouniami. Bon standing. Studios et duplex confortables autour d'une piscine avec vue sur mer. Possibilité de restauration, le soir. Plage de Petit-Havre à proximité.

■ *Hôtel Cap-Sud Caraïbe*. Petit-Havre, tél. : 05 90 85 96 02, fax : 05 90 85 80 39. Direction : Patrick Sitbon. Petite unité d'une douzaine de chambres. Prix moyen, gratuit pour les enfants de moins de douze ans. Petit déjeuner en sus. Très calme, chambres climatisées, piscine et vue sur la plage de Petit-Havre, juste en bas.

Sainte-Anne

L'ambiance est familiale dans ce bourg bordé par une grande plage à la mer turquoise. Une jolie promenade sur le front de mer. Les rangées de palmiers qui bordent la rue principale lui donnent un charme très balnéaire. Le carnaval y est très actif.

■ *La Toubana*. Fond Thézan, tél. : 05 90 88 25 57, fax : 05 90 88 38 90. Direction : Mme C. Vial-Collet. Bon standing. Bungalows, piscine, restaurant et superbe vue sur la mer et la région de Sainte-Anne. Possibilité de demi-pension ou de pension complète.

■ *Le Relais du Moulin*. Le Helleux, tél. : 05 90 88 23 96, fax : 05 90 88 03 92. Directeur : M. Marie. Deux étoiles. Situé entre Sainte-Anne et Saint-François. Restaurant sur place. Piscine. À proximité de la mer.

■ *Le Rotabas*. Durivage, tél. : 05 90 88 25 60, fax : 05 90 88 26 87. Direction : A. Kacy. Petite unité sous forme de chambres et de bungalows en bord de mer. Piscine, possibilité de demi-pension. Ambiance familiale et sympathique. Animaux autorisés payants.

■ *Le Grand Large*. Face à la plage de Sainte-Anne, tél. : 05 90 85 48 28, fax : 05 90 88 16 69. Direction : Mme Michaux-Vignes. Bungalows et hôtel-restaurant. Jazz bar. Un petit hôtel familial, idéalement situé à deux pas de la plage municipale.

■ *Village Caraïbe Carmelita*. Saint-Félix, tél. : 05 90 84 28 28, fax : 05 90 84 58 12. Direction : Carmelite Jeanne. Deux étoiles. Petite unité sur la plage de Saint-Félix, entre Le Gosier et Sainte-Anne. Restaurant créole. Animaux autorisés.

Saint-François

Deux quartiers distincts composent Saint-François. La marina et l'avenue de l'Europe, qui borde le golf, forment un monde à part avec ses villas fleuries, ses hôtels et ses commerces. Le bourg est plus traditionnel avec son port de pêcheurs, son église et sa place ombragée pleine de charme. Luxe, tourisme et coutumes locales font bon ménage. L'aérodrome permet une liaison rapide Pointe-à-Pitre-Saint-François.

■ *Le Méridien*. Tél. : 05 90 48 05 00, fax : 05 90 88 40 71. Direction : M. Cardon. Quatre étoiles. Service grand hôtel. Piscine, Jacuzzi, planche à voile, animation nocturne et plage attenante.

■ *La Cocoteraie*. Tél. : 05 90 88 79 81, fax : 05 90 88 78 33. Direction : Fidel Montana. Quatre étoiles luxe. Suites grand confort. Restaurant réservé à l'hôtel. Immense piscine et accès à deux plages privées.

■ *Le Hamak*. La marina, tél. : 05 90 88 59 99, fax : 05 90 88 41 92. Direction : J.-F. Rozan. Quatre étoiles. L'hôtel choisi par Valéry Giscard d'Estaing et Jimmy Carter lors de leur rencontre en 1979. Cottages dans un jardin de cocotiers au bord du lagon et plage privée. Ambiance raffinée.

■ *La Plantation Sainte-Marthe*. Les Hauts de Saint-François, tél. : 05 90 93 11 11, fax : 05 90 88 72 47. Direction : M. de la Garigue. Quatre étoiles. Piscine, parc de 7 ha, à 5 min du golf. Bon restaurant.

■ *Anchorage*. Anse des Rochers, tél. : 05 90 93 90 00, fax : 05 90 93 91 00. Direction : M. Marzalek. Deux étoiles. Cottages à l'américaine, jolie piscine avec vue sur la mer. Plage en bas.

■ *La Métisse*. Les Hauts de Saint-François, tél. : 05 90 88 70 00, fax : 05 90 88 59 08. Direction : M. Filleau. Une étoile. Petite unité dans un jardin fleuri et calme, piscine et Jacuzzi, à 5 min de la mer.

■ *Le Manganao*. Bellevue, tél. : 05 90 88 80 00, fax : 05 90 88 64 69.

■ *Honoré's Hôtel*. Plage de la Gourde, tél. : 05 90 88 40 61, fax : 05 90 88 60 73. Direction : Honoré Athanase. Deux étoiles. Bungalows calmes avec piscine à deux pas de la plage. Restaurant avec spécialité de langoustes.

■ *UCPA*. La marina, tél. : 05 90 88 64 80, fax : 05 90 88 43 50. Centre nautique avec possibilité d'hébergement. Stages de planche à voile.

Pointe-à-Pitre

Peu d'hôtels à Pointe-à-Pitre, ville où l'on va faire ses achats et déambuler sur les quais aménagés en promenade-jardins.

■ *Hôtel Saint-John*. Centre Saint-John-Perse, tél. : 05 90 82 51 57, fax : 05 90 82 52 61. Direction : P. Ollier. L'hôtel fait face au port et est destiné à la clientèle d'affaire et aux touristes de passage.

Côte sous le Vent

Une côte encore sauvage et très différente du reste de l'île. On passe sans transition de la mer à la montagne, de la baignade en mer à celle en rivière. On allie les plaisirs de la mer à ceux de la marche en montagne.

■ *Le Paradis créole*. Poirier Pigeon, Bouillante, tél. : 05 90 98 71 62, fax : 05 90 98 77 76. Directeur : Dominique Deramé. Hôtel très convivial avec belle vue sur l'îlet Pigeon. Piscine. Possibilité de combiner

séjour et plongées sous-marines avec les Heures saines, à la réserve Cousteau toute proche. Accueil et cuisine réputés.

■ *Le Domaine de Petite-Anse*. Plage de Petite-Anse, Monchy, Bouillante, tél. : 05 90 98 78 78, fax : 05 90 98 80 28. Direction : M. Echevarria. Chambres et résidences. Le plus gros regroupement hôtelier de la Côte sous le Vent (groupe Léo Lagrange). Restaurant, piscine, tennis et activités nautiques.

■ *Domaine de Malendure*. Morne Tarare, Bouillante, tél. : 05 90 98 92 12, fax : 05 90 98 92 10. Direction : M. Galopin. Duplex situés dans un parc qui domine l'îlet Pigeon. Restaurant et piscine.

■ *La Pointe d'Argent*. Baillargent, Pointe-Noire, tél. : 05 90 98 19 60, fax : 05 90 98 19 40. Direction : M. Ugolin. Petite unité dans un jardin tropical. Possibilité de restauration.

Deshaies-Sainte-Rose

Sur les contreforts de la montagne s'étage une belle campagne en pente douce, couverte de champs de cannes à sucre. L'endroit est le point de départ de belles promenades. Non loin, on peut goûter au bain dans les eaux des sources thermales.

■ *Touring Club Hôtel*. Fort Royal, Deshaies, tél. : 05 90 25 50 00, fax : 05 90 25 50 01. Direction : E. Brédouaire. Trois étoiles. Chambres et bungalows. Piscine et vue sur l'îlet à Kahouanne. À proximité des centres de plongée et de pêche au gros.

■ *La Flûte enchantée*. Route de Caféière, Ziotte, Deshaies, tél. : 05 90 28 41 71, fax : 05 90 28 54 43. Direction : M. Paladini. Petite unité dans un grand jardin. Piscine sophistiquée et service « grand hôtel ». Restauration le soir. À 300 m de la très belle plage de Deshaies.

■ *La Sucrerie du comté*. Comté de Lohéac, Sainte-Rose, tél. : 05 90 28 60 17, fax : 05 90 28 65 63. Direction : J.-C. Bazureault. Une petite unité très soignée installée dans les ruines d'une belle sucrerie ancienne, le comté de Lohéac. Piscine, tennis et grand parc. Restaurant gastronomique. Petits animaux autorisés.

Trois-Rivières

La Côte au Vent, verdoyante et bien ventilée, est un résumé du paysage tropical avec sa végétation dense. Au loin, l'archipel des Saintes en fait un point de vue incomparable. L'embarcadère de Trois-Rivières et ses vedettes permettent d'ailleurs d'y passer un jour ou deux.

■ *Le Jardin-Malanga*. Tél. : 05 90 92 67 57, fax : 05 90 92 67 58. Petite unité assez luxueuse en pleine nature.

■ *Grand-Anse Hôtel*. Tél. : 05 90 92 90 47, fax : 05 90 92 93 69. Direction : D. Saint-Phor. Bungalows avec vue sur la montagne. Plage à 1 km. Piscine, restaurant créole.

Morne-à-l'Eau-Le Moule

La Grande-Terre, partie nord, est singulièrement attachante. Tout y est particulier : les gens, la variété des paysages (mangrove et grands fonds) ainsi qu'une tradition très vivace. La région est riche en plages et en sites panoramiques (la Grande Vigie).

■ *Auberge Le Relax*. Tél. : 05 90 24 87 61, fax : 05 90 24 88 64. Direction : M. Danican. Une étoile. Chambres et bungalows à la campagne. Restaurant créole. Possibilité de location de voitures et navettes pour l'aéroport. Soirée typique. Excursions organisées par les propriétaires de l'hôtel.

■ *Tropical Club Hôtel*. L'Autre-Bord, Le Moule, tél. : 05 90 93 97 97, fax : 05 90 93 97 00. Direction : M. Vialat. Deux étoiles. Kitchenettes et restaurant. Ambiance familiale et accès direct à la très belle plage de l'Autre-Bord.

Les Saintes : Terre-de-Bas

L'île, moins connue que Terre-de-Haut, mérite le détour. Elle a conservé toute son authenticité. Quelques belles promenades et plages. Les hôtels sont rares, mais on trouve quelques studios à louer.

■ *La Belle Étoile*. Plage de Grande-Anse, tél. : 05 90 99 83 69. Restaurant de Mme Josèphe qui loue également des studios sur la plage de Grande-Anse.

■ *Hôtel du Poisson volant*. Petite-Anse, tél. : 05 90 99 80 47. Directeur : M. R. Vala. Chambres et studios.

■ *Le Salako*. Grande-Anse, tél. : 05 90 99 81 12. Chambres d'hôtes climatisées et restauration non loin.

Les Saintes : Terre-de-Haut

La baie de Terre-de-Haut est considérée comme l'une des plus jolies de la Caraïbe. Les cases traditionnelles soigneusement peintes, l'absence de voitures, le calme qui succède à l'agitation de la journée après le dernier bateau font de l'île une très plaisante halte. De plus, la tradition hôtelière y est ancienne et bien structurée.

■ *Le Bois-Joli*. Le Pain de Sucre, tél. : 05 90 99 50 38, fax : 05 90 99 55 05. Direction : Fred Blandin. L'un des plus vieux hôtels de l'île qui a su conserver sa réputation. Piscine et plage juste en bas des marches. La navette de l'hôtel vient chercher les clients à l'arrivée de la vedette.

■ *Les Petits-Saints*. Anacardiers, la Savane, tél. : 05 90 99 59 99, fax : 05 90 99 54 51. Direction : Didier Spingler. Petite unité très soignée, meublée à l'ancienne. Non loin du bourg sans en avoir les inconvénients. Piscine. Cuisine réputée.

■ *Kanaoa*. Baie des Saintes, tél. : 05 90 99 51 36, fax : 05 90 99 55 04. Direction : P. Giorgi. Bungalows et chambres en bord de mer. Piscine, restaurant les pieds dans l'eau. Ambiance familiale.

La Désirade

Un éperon rocheux planté dans la mer, habité par des pêcheurs courageux : petit et varié, on y trouve promenades et plages.

■ *Le Mirage*. Tél. : 05 90 20 01 08, fax : 05 90 20 07 45. Chambres climatisées, restaurant et bar. Animation le soir et plage attenante.

■ *L'Oasis le Désert*. Tél. : 05 90 20 02 12. Chambres avec terrasse et vue sur la mer et la montagne. Restaurant créole, spécialité de fruits de mer. À proximité de la plage.

Marie-Galante

Un passé agricole et une tradition de pêche très forte caractérisent l'île qui déteste être appelée « grande dépendance ». Plages superbes, promenades dans les terres, petits hôtels tenus par les familles locales : Marie-Galante s'accroche à ses spécificités.

■ *Le Touloulou*. Plage de Petite-Anse, tél. : 05 90 97 32 63, fax : 05 90 97 33 59. Directeur : José Viator. Possibilité de pension et de demi-pension ; la mer est toute proche.

■ *Auberge de l'Arbre à Pain*. Rue Jeanne-d'Arc, tél. : 05 90 97 73 69. Direction : P. Bade. Ambiance familiale et restaurant créole.

Saint-Barthélemy

C'est une île de caractère, à l'architecture traditionnelle très soignée. Une étonnante variété de paysages sur 24 km².

■ *Hôtel Manapany*. Anse des Cayes, tél. : 05 90 27 66 55, fax : 05 90 27 75 28. Direction : P. D. Finet. Quatre étoiles luxe. En bord de mer, cottages et chambres, deux restaurants, piscine géante, Jacuzzi et sports nautiques.

■ *Carl Gustaf*. Gustavia, tél. : 05 90 27 82 83, fax : 05 90 27 82 37. Direction : E. Tronconi. Quatre étoiles luxe. Suites avec piscine privée. Sauna, restaurant gastronomique. Vue sur Gustavia et son port.

■ *El Sereno Beach Hôtel*. Grand-Cul-de-Sac, tél. : 05 90 27 64 80, fax : 05 90 27 75 47. Direction : M. Lleppez. Trois étoiles. Chambres avec jardins privatifs. Piscine et plage privée. Deux restaurants, dont l'un sur la plage.

■ *Village Saint-Jean*. Hauts de Saint-Jean, tél. : 05 90 27 61 39, fax : 05 90 27 77 96. Direction : C. Charneau. Cottages et chambres. Très belle vue sur la baie de Saint-Jean. Piscine. Ambiance familiale. Petits animaux autorisés.

■ *Émeraude Plage*. Baie Saint-Jean, tél. : 05 90 27 64 78, fax : 05 90 27 83 08. Direction : Geneviève Nouy. 28 bungalows, climatisés avec kichenette, situés au bord de la belle plage de Saint-Jean. Petits déjeuners, mais pas de restaurant. Location de voiture sur place. Proximité des sports nautique. Accueil personnalisé.

■ *Le Ptit Morne.* Colombier, tél. : 05 90 27 62 64, fax : 05 90 27 84 63. Direction : M. Joe. Studios au-dessus d'une piscine et d'un bar. Vue extraordinaire sur Flamands et les îlets. Calme et repos assurés.

Saint-Martin/Sint Maarten

Une île biface, moitié hollandaise, moitié française, où traînent encore l'histoire et ses flibustiers. Il existe peu de chances d'y trouver un petit hôtel pas cher.

■ *L'Habitation Le Méridien.* Anse Marcel, tél. : 05 90 87 67 00, fax : 05 90 87 30 38. Direction : M. Ahbdab. Quatre étoiles luxe. 251 chambres, deux piscines, un club sportif et quatre restaurants.

■ *L'Anse Margot.* Baie Nettlé, tél. : 05 90 87 92 01, fax : 05 90 87 92 13. Direction : M. Tochou. Trois étoiles. Situé entre la mer et le lagon. Chambres et duplex sur jardins ou sur plage. Piscines, Jacuzzi, activités nautiques et possibilité d'excursions. Animaux autorisés, sauf au restaurant.

■ *Royal Beach.* Baie Nettlé, tél. : 05 90 87 89 89. Direction : Mme Martinez. Trois et deux étoiles. Piscine, Jacuzzi, restauration et animation (orchestres créoles et brésiliens).

■ *Hôtel Roselys.* Concordia, tél. : 05 90 87 70 17, fax : 05 90 87 70 20. Direction : Mme Cazodo. Une étoile. Duplex et studios. Piscine, Jacuzzi et restaurant.

Sint Maarten :

■ *Treasure Island Hotel.* Cupecoy Beach, tél. : 00 5 99 55 25 00.

■ *Dawn Beach Hotel.* Dawn Beach, tél. : 00 5 99 52 29 29.

■ *Maho Beach Hotel.* Maho Beach, tél. : 00 5 99 55 21 15.

■ *Mullet Bay Resort.* Mullet Bay, tél. : 00 5 99 55 28 01.

■ *Great Bay Beach Hotel.* Philipsburg, tél. : 00 5 99 52 24 46.

■ *Pelican Resort.* Simpson Bay, tél. : 00 5 99 54 25 03.

Gîtes et locations

L'Association des Gîtes de France en Guadeloupe date de 1972, mais ce n'est que depuis une dizaine d'années que cette formule, conviviale et authentique, connaît un développement certain. Par le même organisme, il est également possible de trouver des chambres chez l'habitant. Parallèlement, la résidence hôtelière, toujours en petites unités, sous forme de cottages ou de cases créoles avec kitchenettes et commerces non loin, rencontre un franc succès. La répartition actuelle place les gîtes et les chambres d'hôtes plutôt du côté de la montagne et vers la Côte sous le Vent, tandis que les locations et les résidences hôtelières sont essentiellement situées dans la région Le Gosier-Sainte-Anne-Saint-François. C'est plus une tendance qu'une généralité. Les prix d'une location oscillent entre 275 et 380 euros la semaine pour deux personnes, selon les prestations.

Côte sous le Vent

■ *Le Village des Islets Pigeon.* Morne Tarare, Malendure, Bouillante, tél. : 05 90 98 72 05, fax : 05 90 98 74 84. Contact : Jean-Paul Guiller. Résidence hôtelière. Maisons créoles, vue sur l'îlet, calme assuré.

■ *Domaine de Gwo Caillou.* Route de la Glacière, Pigeon, Bouillante, tél. : 05 90 98 99 97, fax : 05 90 98 99 93. Contact : Éric Lleu. Quatre maisons créoles (2 et 4 personnes) bien équipées autour d'une piscine dans un joli jardin.

■ *La Grange bel ô.* Chemin Poirier, Pigeon, Bouillante, tél. : 05 90 98 71 42, fax : 05 90 98 96 79. Contact : J. Kancel. Gîtes de France et association Les Gîtes du Racoon. Proche des centres de plongée. Sur une ancienne habitation, autour d'une maison traditionnelle de la côte sous le vent.

■ *La Lise.* Domaine de la Lise, Pigeon, Bouillante, tél. : 05 90 98 98 64. Contact : M. ou Mme Chaulet. Cinq maisonnettes réparties dans une ancienne habitation-distillerie-caféière. Entre la rivière et la mer.

■ *Gîte de Vanibel.* Cousinière, Vieux-Habitants, tél. : 05 90 98 40 79. Contact : M. Nelson. Association Les Gîtes du Racoon.

■ *Chambres d'hôtes* à l'habitation Massieux. Route des Marquis, Thomas, Bouillante, tél. : 05 90 98 89 80. Gîtes de France. Sur les hauteurs de Bouillante. Une belle adresse pour les amoureux d'architecture coloniale bien restaurée.

Basse-Terre

■ *Village Mango.* Chemin de Bonne-Terre, Saint-Claude, tél. et fax : 05 90 80 34 34. Contact : Bernard ou Serge Roux. Location de six bungalows à deux pas du parc national de la Soufrière. Commerces non loin.

■ *Domaine de Manu-Ryse.* Bellevue, Baillif, tél. : 05 90 81 21 62, fax : 05 90 81 71 46. Contact : Emmanuel Gombaud-Saintonge. Piscine, vue panoramique sur Baillif, Basse-Terre et sur la mer Caraïbe, téléphone dans les gîtes, grand confort (trois épis). Proximité de Matouba et de ses promenades par la route de Saint-Louis.

■ *Les Alizés.* Ducharmoy, Saint-Claude, tél. : 05 90 80 06 75, fax : 05 90 80 70 44. Contact : M. ou Mme Govindama. Gîtes. Quatre studios tout confort autour d'une piscine. Soirée chez l'habitant.

■ *Habitation Matouba.* Petit-Parc, Saint-Claude, tél. : 05 90 80 09 28. Contact : M. Casalan. Gîte. Deux logements dans une maison coloniale, dans un parc floral.

Le Gosier-Sainte-Anne

■ *Résidence Canella Beach.* Pointe de la Verdure, Le Gosier, tél. : 05 90 90 44 00, fax : 05 90 90 44 44. Direction : J.-P. Reuff. Grande résidence hôtelière trois

étoiles, non loin des hôtels. Piscine et plage privée.
Possibilité de restauration française et créole.

■ *Village Viva.* Bas-du-Fort, Le Gosier, tél. : 05 90 90 98 98,
fax : 05 90 90 96 16. Direction : M. Lecluze. Résidence
hôtelière deux étoiles sur les hauteurs de la marina. Studios
équipés. Piscine et piscine pour les enfants.
Plages non loin.

■ *Le Verger de Sainte-Anne.* 5, lotissement Marguerite,
Sainte-Anne, tél. : 05 90 88 27 56, fax : 05 90 88 21 45.
Contact : D. Granger. Location de six petites cases créoles
dans un jardin. Climatisation ou brasseur d'air. À 7 min
de la plage.

■ *Les Palmes.* Durivage, Sainte-Anne, tél. : 05 90 88 22 90,
fax : 05 90 85 41 34. Contact : Annie Dartonne. Location
de deux studios et d'un bungalow avec jardin privatif
et barbecue au-dessus de la baie de Sainte-Anne. Calme
et très bon rapport qualité/prix. Plage et sports nautiques
à 50 m.

Saint-François

Devenue très touristique, la commune a vu se multiplier les
résidences hôtelières et les locations diverses. Avantages :
un échantillonnage varié et la cohabitation de tous les
budgets.

■ *Iguana Bay.* Plage de Petite-Gourde, Le Gosier,
tél. : 05 90 88 48 80, fax : 05 90 88 67 19. Location de luxe.
Dix-sept villas grand standing avec piscine et jardin privatif.
Vue sur la mer et accès aux deux plages juste en bas. Calme
et bien ventilé.

■ *Résidence Pradel.* Pradel, Saint-François,
tél. : 05 90 88 49 85, fax : 05 90 88 64 32.
Contact : R. Atexide. Location de studios et de bungalows
sur les hauteurs du bourg, avec vue sur la mer et sur le golf
de Saint-François. Piscine. Plages toutes proches.

■ *Résidence baie des Boucaniers.* Avenue de l'Europe,
tél. : 05 90 88 49 81. Contact : Mme Lorenzo. Location de
studios et de duplex équipés. Possibilité de forfait golf et
sport nautiques. Marina et commerces tout proches.

Sainte-Rose

■ *Domaine de Séverin.* La Boucan, tél. : 05 90 28 91 86,
fax : 05 90 28 36 66. Contact : M. ou Mme Marsolles.
Deux appartements dans une maison coloniale et
un bungalow. Accueil soigné, charme, meubles anciens.
Grand parc et distillerie en fonctionnement de l'autre côté
du parc. Restaurant créole attenant.

Marie-Galante

La formule Gîtes de France a trouvé sa voie à Marie-
Galante : il en existe une vingtaine.

■ *Village de Ménard.* Ménard Saint-Louis,
tél. : 05 90 97 77 02, fax : 05 90 97 76 89. Location de cinq
bungalows pour 4 personnes. Piscine et calme.

Les Saintes

■ *Village créole.* Pointe Coquelet, Terre-de-Haut,
tél. : 05 90 99 53 83, fax : 05 90 99 55 55. Direction :
M. Llaps. Une vingtaine de duplex équipés en bord de plage.

Saint-Barthélemy

■ *La Résidence Saint-Barh.* Petit Cul-de-Sac,
tél. : 05 90 27 85 93, fax : 05 90 27 77 59.
Contact : G. Turbé. Une vingtaine de villas de luxe avec
piscine sur les hauteurs de la baie du Grand Cul-de-Sac.
À proximité, activités nautiques. Forfait villa et location
de voitures.

■ *Les Islets fleuris.* Lorient, tél. : 05 90 27 64 22,
fax : 05 90 27 69 72. Contact : C. Tiberghien. Cinq studios
décorés avec goût. Vue imprenable sur la baie de Lorient
et les îlets. Piscine et pétanque. Calme et raffiné.

Saint-Martin

Ici, les résidences hôtelières sont presque toujours « haut de
gamme ».

■ *Green Cay Village.* Baie Orientale, tél. : 05 90 87 38 63,
fax : 05 90 87 39 27. Direction : M. Masrevery. Villas
hôtelières équipées de trois chambres avec piscine privée.
Tennis et activités nautiques. Restaurant sur la plage.

■ *Hévéa.* Boulevard de Grand-Case, tél. : 05 90 87 56 85,
fax : 05 90 87 83 88. Direction : Mme Dalbera. Une étoile.
Style guest house. Huit chambres et quelques studios
meublés avec recherche. Restaurant.

■ *Les Jardins d'agréments.* Marigot, tél. : 05 90 87 22 76,
fax : 05 90 87 22 79. Une vingtaine de villas non loin de
Marigot. Piscine et activités sportives. Animaux autorisés.

Campings

Le camping n'entre pas dans les habitudes touristiques de
l'île. Il est même interdit à Saint-Barthélemy. En Guadeloupe,
on trouve deux terrains de 60 emplacements chacun.

■ *Les Sables d'or.* Deshaies, tél. : 05 90 28 44 60.

■ *La Traversée.* Pointe-Noire : tél. : 05 90 98 21 23.

RESTAURANTS

Mme Lauterbonne, fameuse cuisinière guadeloupéenne
d'antan, disait que l'on se devait d'apprendre deux types de
cuisine : la cuisine française au beurre et l'antillaise à
l'huile. Ainsi séparait-elle les deux manières. L'une n'est
pas moins lourde que l'autre, et la seconde est un résumé
des différentes origines (amérindienne, africaine, française,
indienne et même libanaise) qui la composent avec bonheur.
Quelques dominantes ressortent dans cette gastronomie
forcément un peu relevée, presque toujours bien assaisonnée
de cives et d'ail, agrémentée d'un soupçon de citron. Le
poisson, le cabri, le cochon reviennent fréquemment dans la

composition des plats, accommodés de mille façons, accompagnés de légumes-pays en gratins, en migan ou simplement revenus. Racines (igname grosse-caille, patate douce rose), gombos, bananes poyos ou simples bananes-légumes cuits à l'eau, fruits à pain, pois de bois et giromons sont la richesse des jardins bo'cases. Tout comme les fruits dont les saisons se succèdent : goyaves, pommes-cythère, mangues, litchis et bananes au goût exquis de toutes sortes dont aucun ne traverse l'océan. C'est au marché (tous les matins, tôt dans la plupart des communes) qu'on les goûte le mieux. Mais c'est bien préparés que l'on déguste tourment d'amour des Saintes à la confiture de coco, flanc au coco, gâteau patate, feuilleté à la pâte de goyave et autres douceurs...

Pratiquement, il faut compter de 15 à 23 euros pour un menu touristique et 45 euros et plus pour un repas gastronomique. À côté des restaurants classiques, il existe des restaurants « en bas tôle » (paillotes ou abris succincts) où l'on déjeune très bien pour moins de 15 euros, punch compris.

Pointe-à-Pitre-Les Abymes

■ *La Canne à sucre.* Centre Saint-John-Perse, tél. : 05 90 89 21 01. Deux restaurants en un. L'un fait brasserie, l'autre est gastronomique. Cuisine créole raffinée et revisitée par le chef. Jolie vue sur le port de Pointe-à-Pitre. Ouvert midi et soir.

■ *Chez Espérat.* Grand-Fond, Les Abymes, tél. : 05 90 82 77 13. Un restaurant authentiquement créole (colombo et court-bouillon) à des prix décontractés. Cadre très simple. Ouvert le soir.

■ *Restaurant 44.* Morne Udol, Les Abymes, tél. : 05 90 82 93 90. Un excellent petit restaurant créole situé dans la « bonne partie » de Boissard. Excellente cuisine créole, simple et à prix honnêtes. Situé sur un morne bien aéré. Ouvert midi et soir.

■ *Chez Dolmar.* Port de Lauricisque, tél. : 05 90 91 21 32. Cadre vivant et populaire, toile cirée sur les tables. Fréquenté par les locaux et toujours plein. Prévoir une attente d'un bon quart d'heure, qui est récompensée par le meilleur court-bouillon de la place à un prix imbattable.

Le Gosier

■ *La Vieille Tour.* Montauban, tél. : 05 90 84 23 23. Restaurant gastronomique avec spécialités créoles revues par un chef français. À goûter : le poisson au gingembre et au lait de coco. Cadre traditionnel, vue sur la mer. Ouvert le soir.

■ *La Véranda.* Hôtel Canella Beach, pointe de la Verdure, tél. : 05 90 90 44 00. Restaurant gastronomique. Produits du pays, poissons et fruits de mer (tartare de lambi ou canneloni d'espadon fumé). Menu enfant. Deux salles, l'une climatisée, l'autre les pieds dans l'eau. Ouvert midi et soir.

■ *Le Sextant.* La marina, tél. : 05 90 90 92 22. Spécialité de poissons du jour (vivaneau, espadon, daurade) et

de fruits de mer (langoustes, lambis, burgots, palourdes). Deux salles, l'une en terrasse sur la marina, l'autre climatisée. Ouvert midi et soir, tous les jours.

■ *Chez Deux-Gros.* Route de Sainte-Anne, tél. : 05 90 84 16 20. Restaurant gastronomique et cuisine inventive (ravioles de ouassous). Spécialités de poissons préparés avec raffinement. Cadre agréable. Ouvert midi et soir. Fermé le dimanche et le lundi.

■ *Le Balata.* Morne Labrousse, tél. : 05 90 90 88 25. Restaurant panoramique. Un compromis entre les cuisines créole et française. Ouvert midi et soir.

■ *Le Taj Mahal.* Le Gosier, tél. : 05 90 84 36 36. Un autre aspect de la cuisine guadeloupéano-indienne. Terrasse. Ouvert le soir.

■ *La Chaubette.* Route de Sainte-Anne, tél. : 05 90 84 14 29. Cadre simple pour une cuisine créole de base. Menu touristique. Ouvert midi et soir.

■ *La Route du Rhum.* La marina, tél. : 05 90 90 83 73. Ambiance et prix décontractés pour ce restaurant fréquenté par les plaisanciers de la marina toute proche. Poissons, fruits de mer. Ouvert midi et soir.

Sainte-Anne

■ *La Toubana.* Durivage, tél. : 05 90 88 25 78. Spécialité de langoustes au vivier. Cadre soigné et très agréable. Très belle vue sur la mer.

■ *Le Flibustier.* Fond Thézan, tél. : 05 90 88 23 36. Poisson sous toutes ses formes et grillades pour ce restaurant à la vue superbe sur la mer et la côte saintanaise. Bon rapport qualité/prix. Ouvert midi et soir, sauf le dimanche. Fermé le lundi.

■ *Le Rotabas.* Durivage, tél. : 05 90 88 25 60. Tous les produits de la mer et aussi quelques spécialités, comme le crabe farci. Salle de restaurant traditionnelle et paillote sur la plage. Menu touristique de base. Ouvert midi et soir.

■ *L'Accra.* Tél. : 05 90 88 22 40. Ambiance familiale et menu touristique pour ce restaurant situé non loin de la plage de la Caravelle (actuel Club Méditerranée). Tarte aux lambis, brochettes de poissons et ragoût de cabri. Ouvert midi et soir. Fermé le dimanche en basse saison et en septembre.

Saint-François

C'est le lieu de toutes les juxtapositions culinaires : créole, métropolitaine et indienne.

■ *Côté-Cour.* Rue de la République, tél. : 05 90 85 50 47. Cuisine chic. Carte sophistiquée. Cadre sympathique. Bon restaurant du soir. Fermé le lundi.

■ *Kotésit.* Rue de la République, tél. : 05 90 88 40 84. *Kotésit* se traduit par « par ici ». Cuisine créole et française (salade d'agrumes, poissons à la Tahitienne). Situé sur les bords du lagon. Ouvert midi et soir.

■ *Le Nautique*. Sur la route de la pointe des Châteaux, tél. : 05 90 88 65 14. Cuisine simple et correcte. Carte et menu. Cadre agréable. Ouvert midi et soir.

■ *Le Zagaya*. Rue de la République, tél. : 05 90 88 67 21. Surnommé le « Zag » par les locaux qui aiment bien sa carte variée. Carte et menu. Ouvert midi et soir.

■ *Chez Honoré*. Plage de la Gourde. Un grand classique de la langouste et du poisson sous toutes leurs formes. Menu touristique. Situé à deux pas de l'une des très jolies plages du coin. Ouvert midi et soir. (Honoré existe également place du Marché, tél. : 05 90 88 40 61.)

■ *Restaurant des Châteaux*. Route de la pointe des Châteaux, tél. : 05 90 88 43 53. Cuisine créole (fricassée de langouste) et menu enfants. Cadre simple et prix raisonnables. Ouvert midi et soir. Fermé le lundi et au mois d'octobre.

■ *Les Oiseaux*. Anse des Rochers, tél. : 05 90 88 56 92. Cuisine créole et menus touristiques. Cadre décontracté. Ouvert le soir sauf le lundi.

■ *Le Baboucha*. Le Bourg, tél. : 05 90 88 51 16. Cuisine créole avec spécialités indiennes. Restauration sur place et plats à emporter. Ouvert midi et soir.

■ *Chez Mme Lohdinfer*. Tél. : 05 90 88 44 61. Une petite case qui fait *lolo* et restaurant à la fois. Une adresse magique pour un palais amateur de cuisine très créole (migan et court-bouillon). On peut également commander un repas à emporter.

Anse-Bertrand

■ *Le Château de Feuilles*. Campêche, tél. : 05 90 22 30 30. Cuisine gastronomique franco-antillaise (la choucroute de papaye verte et ses poissons est un régal). Le tout dans un cadre agréable au bord d'une piscine. Ouvert le midi et uniquement sur commande le soir (minimum 15 personnes).

Sainte-Rose et Deshaies

■ *Le Domaine de Séverin*. La Boucan, Sainte-Rose, tél. : 05 90 28 34 54. Restaurant gastronomique dans l'ancienne maison de maître d'une distillerie. Spécialité de ouassous pêchés dans les bassins de la propriété. Très bons desserts. Ouvert midi et soir, sauf le lundi.

■ *Le Hameau de Bellevue*. Pointe-Noire, tél. : 05 90 98 20 91. Table d'hôte (spécialités de braserades) dans une ancienne plantation. Bassin d'eau de rivière et départ de balades. Réservation obligatoire. Ouvert le jeudi et le week-end.

■ *Le Karaloli*. Grande-Anse, Deshaies, tél. : 05 90 28 41 17. Cuisine créole et menu touristique et enfant. Le restaurant donne sur la plage. Ambiance vacances. Ouvert le midi.

■ *Le Mouillage*. Bourg de Deshaies, tél. : 05 90 28 41 12. Cuisine créole et produits de la mer (palourdes à la nage). Menu touristique et carte. Restaurant les pieds dans l'eau. Ouvert midi et soir.

Bouillante

■ *Le Paradis créole*. Route de Poirier, Pigeon, tél. : 05 90 98 71 62. Restaurant gastronomique, mélange de traditions créoles et françaises. Cadre panoramique sur l'îlet Pigeon. Ouvert le soir et le dimanche midi. Fermé le mercredi.

■ *Le Rocher de Malendure*. Pigeon, tél. : 05 90 98 70 84. Poissons pêchés par le propriétaire. Ambiance familiale. Menu et carte. Petites paillotes réparties sur une terrasse accrochée au « rocher » et donnant sur la mer. Ouvert midi et soir. Fermé le dimanche soir et au mois de septembre.

■ *Le Ti'Racoon*. Parc zoologique, route des Deux-Mamelles, tél. : 05 90 98 83 52. Cuisine créole et française avec spécialité de ouassous. Ambiance et prix décontractés. Ouvert le midi, sauf le lundi.

■ *Les Tortues*. Anse des Trois-Tortues, tél. : 05 90 98 82 83. Spécialité de poissons grillés. Prix raisonnables et ambiance décontractée avec vue sur le petit port de pêcheurs et le coucher de soleil. Ouvert midi et soir. Fermé le dimanche et le lundi soir.

Petit-Bourg

■ *Le Valombreuse*. Domaine de Valombreuse, Cabout, tél. : 05 90 95 50 50.
Cuisine créole (court-bouillon mulâtre et tarte aux ouassous). Menus touristiques et enfant. Le restaurant est un carbet construit sur les bords d'une rivière où l'on peut se baigner. Beaucoup de charme.

Basse-Terre

■ *Le Lamazure*. Rue Gratien-Parize, Saint-Claude, tél. : 05 90 80 10 10. Restaurant gastronomique (grenadin de la mer au beurre de maracuja) dans un cadre raffiné, au pied de la Soufrière. Ouvert midi et soir. Fermé le dimanche et le lundi.

■ *L'Orangerie*. Desmarets, Basse-Terre, tél. : 05 90 81 01 01. Cuisine recherchée avec saveurs du pays (moussaka de lambi au coulis de tomate et citronnelle). Le restaurant est situé dans une ancienne habitation et en conserve l'ambiance. Ouvert midi et soir. Fermé le mercredi et le samedi midi.

■ *Caprice des îles*. Boulevard du Père-Labat, Baillif, tél. : 05 90 81 74 97. Cuisine simple et savoureuse (langouste au vivier). Menu et carte. Ouvert midi et soir, sauf le dimanche soir et le lundi.

■ *En bas voûte-là*. Entre Rivière-Sens et Vieux-Fort. Une adresse très fréquentée par les locaux. Cuisine créole sans prétention. Cadre sommaire à l'ombre d'une voûte (d'où le nom), mais vue sur la mer.

■ *Chez Paul*. Matouba, tél. : 05 90 80 29 20. Cuisine créole. Même propriétaire depuis quarante ans. Ambiance familiale. Ouvert uniquement le midi.

Les Saintes

■ *Les Petits Saints*. La Savane, Terre-de-Haut,
tél. : 05 90 99 50 99. Grosses salades le midi et table
d'hôtes le soir. Cuisine soignée et raffinée (escalope de
dorade au maracuja). Carte et menu. Cadre ravissant.
Ouvert midi et soir.
■ *Les Amandiers*. Place de la Mairie, Terre-de-Haut,
tél. : 05 90 99 50 06. Cuisine saintoise (colombo de
chatrou). Menu touristique. Ambiance familiale.
■ *La Paillote*. Terre-de-Haut, tél. : 05 90 99 50 77.
Cuisine simple créole (fricassée de chatrou et de lambis).
Ouvert tous les jour à midi, le mercredi soir et le samedi
soir.
■ *Chez Eugénette*. Grande-Anse, Terre-de-Bas,
tél. : 05 90 99 81 83. Ouvert midi et soir.

Marie-Galante

■ *Le Touloulou*. Plage de Petite-Anse, Capesterre,
tél. : 05 90 97 32 63. Cuisine marie-galantaise *(bébélé)*
et menu touristique. Cadre agréable et vue sur la plage.
Ouvert midi et soir. Fermé en septembre-octobre.
■ *Chez Hélène (Bambou Club)*. Route du bord de mer,
Capesterre, tél. : 05 90 97 36 98. *Blaff* d'oursins, langoustes
et gratins de légumes. Menu touristique. Architecture
typique dans un jardin. Ouvert midi et soir. Fermé le lundi.

La Désirade

■ *Chez Maraine*. Baie-Mahault, tél. : 05 90 20 00 93.
Un classique incontournable de la cuisine créole
désiradienne, simple et savoureuse (poissons et oursins
selon pêche du jour). Ne pas oublier de goûter les pommes
cajous confites. Ouvert midi et soir. Il vaut mieux réserver.
■ *La Payotte Désert*. Grande-Anse, tél. : 05 90 20 01 29.
Une cuisine à base de poissons du jour.

Saint-Barthélemy

■ *François Plantation*. Colombier, tél. : 05 90 27 78 82.
Restaurant gastronomique. Cuisine et cadre raffinés.
Ouvert le soir.
■ *Maya's*. Public, tél. : 05 90 27 75 73. Un restaurant tout
simple. Carte et menu. Ouvert le soir.
■ *Eddy's Restaurant*. Gustavia, tél. : 05 90 27 54 17. Cuisine
créole et française. Prix raisonnables. Ouvert le soir et
fermé le dimanche, sauf en janvier et février.
■ *Le Rivage*. Grand Cul-de-Sac, tél. : 05 90 27 82 42.
Cuisine franco-créole. Prix raisonnables. Restaurant les
pieds dans l'eau. On peut aller faire de la planche à voile
pour éliminer. Ouvert matin et soir.

Saint-Martin

■ *Le Santal*. Sandy Ground, tél. : 05 90 87 53 48.
Cuisine française gastronomique. Ouvert midi et soir.

■ *Le Rainbow*. Grand-Case, tél. : 05 90 87 55 80.
Restaurant gastronomique. Ouvert midi et soir.
■ *Chez Yvette*. Tél. : 05 90 87 32 03. Cuisine créole avec
spécialité de poisson et langouste ; on parle surtout anglais.
Ouvert midi et soir.
■ *Le Palmier*. Tél. : 05 90 87 50 71. Cuisine créole réputée.
Ouvert midi et soir.

ACTIVITÉS NAUTIQUES

Plages

Une température idéale, des couleurs sans pareilles, des
sables de toutes les nuances et des fonds sous-marins variés
se conjuguent pour faire des côtes guadeloupéennes le
paradis des nageurs, barboteurs ou explorateurs des mers.
Peu de dangers, sinon ceux annoncés par la météo. Il faut,
bien sûr, se garder de titiller les murènes, généralement bien
à l'abri dans leurs trous de cayes, et éviter les
rares méduses. On rencontre parfois, non loin des côtes
(entre Saint-Barthélemy et Saint-Martin, par exemple), de
joyeuses bandes de dauphins. En février-mars, passent, très
au large, les baleines. Les requins-nourrices, des brouteurs
d'algues, sont inoffensifs. Les autres, on ne les voit jamais en
bord de mer. Quant au classement des eaux guadeloupéennes, il est considéré comme excellent par la DDASS
qui procède aux prélèvements annuels d'usage. Afin de les
conserver en l'état, il est interdit d'y jeter papiers et ordures.
Dans le même esprit, sauf sur les plages un peu sauvages du
nord, il est déconseillé (voire interdit sur certaines plages),
d'emmener les chiens.

Guadeloupe

■ *Le Gosier*. Beaucoup de plages du coin sont des
compromis avec la nature. La greffe a pourtant bien pris,
et les hôtels de la pointe de la Verdure donnent un air très
civilisé (sables fins, parasols et transats) aux anciens
rochers. Une façon de concilier les plaisirs du bain avec les
buvettes toutes proches. La plage municipale du Gosier
et de l'hôtel de la Vieille Tour sont d'origine.
■ *Saint-Félix*. Une plage fréquentée par les autochtones.
Pique-niques et barbecues le dimanche.
■ *Petit-Havre*. Une série de petites anses charmantes
et familiales.
■ *Sainte-Anne*. La plus populaire des plages
guadeloupéennes avec ses eaux turquoise et son bain peu
profond. Le sable fin et l'absence de rochers en font
la plage familiale par excellence. À droite de la plage
municipale, la plage de la Caravelle, fréquentée par le Club
Méditerranée et les nudistes.
■ *Saint-François*. Le paradis de la variété. On y trouve de
tout, de la plage familiale de Raisins-Clairs aux plages plus
sauvages de la pointe des Châteaux, en passant par

la plage naturiste de Tarare. Mer translucide et sable gorgé de coquillages ne doivent pas faire oublier le danger des courants assez forts des plages de la Gourde et des Salines. Attention ! la plage de la pointe des Châteaux, avec ses lames de fond, est considérée comme extrêmement dangereuse.

■ *Petite-Terre.* Îlet au large de Saint-François. Le paradis des Robinsons de la plongée et de la pêche. Il ne faut pas oublier masque, tuba et palmes pour observer les fonds marins. Excellent bain.

■ *Les Alizés.* Une jolie plage au sable fin, bordée de raisiniers et d'arbres divers.

■ *La Porte d'Enfer.* Une avancée de mer à l'intérieur des falaises. Beau spectacle et bain calme et assez fréquenté. Attention aux courants de la sortie de la coulée !

■ *Anse Laborde.* Bel endroit pas trop fréquenté, sauf le dimanche. Le bain y est bon, à condition de se méfier des courants.

■ *Plage de Port-Louis.* Très bon bain et bord ombragé où il faut arriver tôt. Le coin est désert à partir de 16 h : les *yen yen* (petits moustiques microscopiques) et autres maringouins investissent les lieux.

■ *Caret.* L'îlet se situe à l'extrême nord de la réserve marine du Grand Cul-de-Sac. La promenade pour y accéder est très belle, et Caret est un petit coin de rêve très fréquenté.

■ *Plage de Deshaies.* Une plage de carte postale aux sables blonds et aux cocotiers dansants. Attention aux vagues soudaines et aux forts courants ! Il vaut mieux choisir la partie droite, plus sauvage, mais parfois dangereuse.

■ *Baille-Argent.* Une petite anse pleine de charme, fréquentée par les aficionados de la côte sous le vent.

■ *Malendure.* Une ravissante petite plage aux sables noirs. Attention justement à celui-ci : il emmagasine la chaleur au point de brûler la plante des pieds. Prévoir des chaussures. Elle est située en face de l'îlet Pigeon qui possède, lui aussi, des coins de baignade pleins de charme. C'est de là que partent bateaux à fond de verre et de plongée en bouteille. Située en pleine réserve marine, il est naturellement interdit d'y pêcher, mais non d'admirer les fonds sous-marins.

La Désirade

Il n'est pas trop difficile d'y trouver des plages : elles s'étalent sur toute la partie sud, le long de l'unique route de l'île. Les plages de Fifi, du Souffleur et de Baie-Mahault sont de somptueuses avancées sablonneuses dans une mer translucide aux fonds extraordinaires.

Marie-Galante

De la populaire anse de Vieux-Fort à la calme La Feuillère, à l'abri derrière sa barrière de corail, les plages sont nombreuses et variées dans cette île qui cultive son authenticité.

Les Saintes

Terre-de-Haut possède tout un essaim de petites anses : de la populaire Pont-Pierre à l'anse Crawen (naturisme toléré) sans oublier l'anse du Pain de Sucre (près de l'hôtel Bois-Joli) et l'anse Rodrigue, assez retirée.
Terre-de-Bas n'est pas de reste avec ses plages peu fréquentées et plus sauvages. L'anse à Dos et l'anse à Chaux sont abritées.

Saint-Barthélemy

Chaque anse ouvre sur une plage. Le reste est question de style : plage civilisée comme à Saint-Jean, longue et propre à la nage comme à Salines, profonde et retirée comme à l'anse du Gouverneur. Sable blanc et mer de matin du monde.

Saint-Martin

Une trentaine de plages dont se détachent Long Bay la solitaire, le Galion des véliplanchistes et Mahobeach, le paradis des amateurs de longues nages.

PRÉCAUTIONS

Le mancenillier

L'arbre qui borde les plages des zones sèches (Côte sous le Vent et archipel) dégage une odeur suave et douceâtre et porte des fruits qui ressemblent à de petites pommes vertes. En fait, cet arbre n'est paradisiaque que de loin : ses fruits, ses feuilles et son bois charrient une sève extrêmement toxique. Défense de goûter aux fruits et surtout de s'abriter sous l'arbre lorsqu'il pleut : le contact avec le latex, très caustique, provoque de graves brûlures. En cas de contact, il faut laver les lésions à grande eau. En cas d'ingestion, le mieux est de se rendre aux urgences de l'hôpital.

Découvertes sans se mouiller

Les fonds marins sont à la portée de tous, même de ceux qui n'ont pas envie d'enfiler masque et tuba. Les bateaux à fond de verre peuvent emmener une trentaine de passagers.

Bouillante

■ *Nautilus.* Plage de Malendure. Tél. : 05 90 98 89 08, fax : 05 90 98 85 66. Bateaux à fond de verre et aquascope, durée : 1 h 15.

■ *Aquarius.* En bord de mer à Pigeon. Tél. : 05 90 98 87 30.

■ *Antilles-Vision.* Plage de Malendure, îlet Pigeon. Tél. : 05 90 98 70 34.

Saint-François

■ *Awak.* Tél. : 05 90 88 53 53. Fond de verre, mais aussi masque et tuba. Fonds marins de la Petite-Terre. Excursion à la journée, déjeuner sur l'île.
Et aussi :
■ *Aquarium de la Guadeloupe.* Place Créole, la marina du Bas-du-Fort, tél. : 05 90 90 92 38. Requins dormeurs, requins carnivores, poissons de cayes et flore marine. Tous les jours, sauf les jours fériés, de 9 h à 19 h.

Promenades en mer

La formule permet de découvrir le milieu marin sous toutes ses formes : lagon, îlet ou mangrove, nursery marine. Le tout en une journée, ambiance comprise.
■ *King Papyrus.* Tél. : 05 90 90 92 98, mél. : king.papyrus@wanadoo.fr. Excursion à Caret (îlet au large de la réserve marine du Grand Cul-de-Sac) ou demi journée dans la mangrove. En bateau mouche. Départ à la marina de Pointe-à-Pitre.
Prix de groupe.
■ *Croisière Awak.* Tél. : 05 90 88 53 53. Excursions à la journée en vedette sur Petite-Terre. 45 min de traversée et large choix d'activités sportives.
■ *VTT des mers.* Tél. : 05 90 85 02 77. Une façon écologique de naviguer en véhicules monoplaces ou biplaces sur les plages ou dans la mangrove. Randonnées à la journée avec guide.

Voile et planche à voile

Eaux d'un bleu-vert cristallin, vent d'alizé régulier, infrastructures adéquates : toutes les conditions sont réunies pour intéresser débutants ou baroudeurs des mers. Il faut cependant savoir que les vents varient selon la période. Ainsi, mai-août est plus favorable aux véliplanchistes débutants et novembre-avril aux amateurs initiés de funboard. Planches à voile, hobies-cat et voiliers se retrouvent de préférence dans la partie sud de l'île. Quatre centres réunissent les conditions précédentes, auxquelles il faut ajouter la sécurité. Le Gosier, Saint-François, Sainte-Anne et Rivière-Sens, à Basse-Terre, partagent ce privilège, chacun avec ses spécificités.

Le Gosier

Outre les hôtels qui possèdent leur propre matériel nautique, les centres de voile et de planche à voile groupés à Bas-du-Fort ouvrent largement leurs portes aux « voileux » d'outre-Atlantique.
■ *AVPP, école de voile.* Stage et école de croisière, marina du Bas-du-Fort, tél. : 05 90 90 83 98, mél. : avpp@softel.fr.
■ *Cercle sportif Bas-du-Fort*, digue Monroux. Cours, stages de planches à voile (Tiga) et de hobbie-cat, tél. : 05 90 90 93 94.

■ *Voile traditionnelle.* Le renouveau de la voile traditionnelle guadeloupéenne a remis au goût du jour les régates de saintoises gréées à l'ancienne. Pour avoir le programme de ces manifestations, on peut téléphoner à l'Union guadeloupéenne de voile traditionnelle (tél. : 05 90 95 41 08). On peut également passer devant les chantiers Forbin au carénage qui cultive l'héritage laissé par Félix Forbin, constructeur de saintoises traditionnelles ou téléphoner au club Angélina (tél. : 05 90 82 21 52).

Sainte-Anne

■ *LCS.* Tél. : 05 90 88 15 17. Location, stages et cours de perfectionnement. Matériel Fanatic et Bic. Hébergement possible.

Saint-François

■ *Centre nautique UCPA.* Tél. : 05 90 88 64 80, fax : 05 90 88 54 84. Tél. en France : 01 43 36 05 20. Les rois du fun : planche à voile et hobie-cat. Matériel Tiga et Fanatic. De la location de matériel aux stages en passant par les cours de tous niveaux. Le centre s'occupe aussi de plongée sous-marine. On peut combiner stages et hébergement. L'UCPA a également une antenne aux Saintes, à Terre-de-Haut.
■ *Jumbo Funboard.* Tél. : 05 90 88 60 60, fax : 05 90 90 98 80. Stages, location, hébergement. Matériel Fanatic.

Marie-Galante

■ *Fun Evasion.* Plage de la Feuillère, tél. : 05 90 97 35 21. Cours, stages, location. Matériel Mistral.

Terre-de-Haut

La baie des Saintes est particulièrement propice aux sports nautiques : proportions majestueuses et fonds clairs. Attention cependant aux courants et aux nombreuses embarcations qui y croisent.
■ *Centre UCPA.* Baie de Marigot, tél. : 05 90 99 54 94, fax : 05 90 99 55 28. Planche à voile et catamaran.

Saint-Barthélemy

■ *Wind Wave Power.* Baie de Grand Cul-de-Sac, Saint-Barth Beach Hôtel, tél. : 05 90 27 82 57. Location, cours et stages sur planche à voile ou hobbie-cat.
■ *Windsurfing paradise.* Baie de Saint-Jean, tél. : 05 90 27 71 22.

Saint-Martin

■ *Windsurfing Club.* Orient Bay, tél. : 05 90 87 32 04.

Surf

Le spot du Moule est suffisamment intéressant pour que s'y soit déroulé, en 1995, le championnat du monde de surf.

À Saint-Barthélemy, il existe également plusieurs spots intéressants, dont celui de Lorient.

Contact : F. Adam. Tél. : 05 90 23 60 68, le soir.
Licence FFS exigée ou fournie sur place.

Ski nautique

Il existe des possibilités de ski nautique auprès des hôtels Créole Beach, au Gosier, et Méridien, à Saint-François. On peut également essayer d'autres plans d'eau.

■ *AGSN* (Association guadeloupéenne de ski nautique). La Sablière, Baie-Mahault, tél. : 05 90 26 17 47.
Le club est affilié à la Fédération française de ski nautique et met à disposition 27 ha de plan d'eau. Possibilité de bi, mono, *hydroslide, ski-board.*
■ *Alizé Gliss.* Terre-de-Haut, les Saintes,
tél. : 05 90 37 23 68. Ski nautique et parachute ascensionnel.

Plongée sous-marine

En Guadeloupe, sur toute la côte corallienne, un simple masque suffit pour découvrir, à de faibles profondeurs, une faune et une flore sous-marines chatoyantes et facilement accessibles.

Avec un pareil capital, la Guadeloupe est un département de pointe en matière de plongée sous-marine. Une vingtaine de clubs, répartis dans tout l'archipel, propose aux néophytes et aux aquanautes confirmés toute une gamme de plongées. La majorité d'entre eux est installée sur la Côte sous le Vent, et plus précisément à Malendure, face aux îlets Pigeon : dans cette zone baptisée « réserve Cousteau », la chasse sous-marine est interdite, la pêche réglementée et la faune et flore particulièrement protégées.

Tous les plongeurs sont équipés de stabilisateurs – y compris pour les baptêmes – et le matériel est intégralement fourni par les clubs. À noter, pour les plongeurs confirmés, des plongées de nuit et sur épave.

Agences de voyages
Toutes les agences de plongée sous-marine proposent un ou plusieurs clubs de l'archipel guadeloupéen. Le spécialiste en France est Ultramarina, ultramarina.com et 08 25 02 98 02. Pour en savoir plus et connaître les nouveautés, contactez l'office départemental du tourisme de la Guadeloupe.

Clubs de plongée sous-marine
Guadeloupe
■ *Les Heures saines.* Rocher de Malendure, Pigeon,
tél. : 05 90 98 86 63.
■ *Chez Guy et Christian.* Plage de Malendure, Pigeon,
tél. : 05 90 98 82 43.

■ *Centre UCPA.* Plage de Malendure, Pigeon,
tél. : 05 90 98 89 00.
■ *CIP.* Plage de Malendure, Bouillante, tél. : 05 90 98 81 72.
■ *Aux aquanautes antillais.* Plage de Malendure, Bouillante,
tél. : 05 90 98 87 30.
■ *Tropical Sub.* Hôtel Fort Royal, Deshaies,
tél. : 05 90 28 52 67.
■ *Aquafari.* Initiation à la plongée au Gosier,
tél. : 05 90 84 26 26, poste 48 43.
■ *Les Baillantes Tortues.* Baille-Argent, Pointe-Noire,
tél. : 05 90 98 29 71.
■ *C.D.N.P.* Marina Rivière Sens, Gourbeyre,
tél. : 05 90 81 39 96.
■ *Nouvelle Frontière Plongée.* Hôtel club Manganao,
lieu-dit Belle-Vue, Saint-François, tél. : 05 90 88 80 00.

Saint-Barthélemy
■ *Marine Service.* Gustavia, tél. : 05 90 27 70 34.
■ *Saint-Barth Plongée.* Gustavia, tél. : 05 90 27 54 44.
■ *Odyssée Caraïbes.* Rue Jeanne-d'Arc, Gustavia,
tél. : 05 90 27 55 94.
■ *West Indies Dive.* Gustavia, tél. : 05 90 27 91 79.
■ *La Bulle.* Gustavia, tél. : 05 90 27 68 93.

Les Saintes
■ *Centre nautique des Saintes.* Plage de la Colline,
Terre-de-Haut, tél. : 05 90 99 54 25.

Saint-Martin/Sint Maarten
■ *Blue Ocean.* Centre commercial baie Nettlé, BP 4120,
tél. : 05 90 87 89 73.
■ *Caribbean Watersports.* Baie Nettlé, tél. : 05 90 87 58 66.
■ *Lou Scuba Club.* Baie Nettlé, tél. : 05 90 87 22 58.
■ *Octoplus.* 15, boulevard de Grand-Case, BP 5072,
tél. : 05 90 87 20 62.
■ *Scuba Fun.* Anse Marcel, tél. : 05 90 87 36 13.
■ *Sea Dolphin.* Le Flamboyant, baie Nettlé,
tél. : 05 90 87 60 72.
Sint Maarten :
■ *Simpson Bay.* Tél. : 00 5 99 54 22 62.
■ *Pelican Resort.* Tél. : 00 5 99 54 26 40.

La Désirade
■ *La Désirée.* Tél. : 05 90 20 02 93

Marie-Galante
■ *Maison Poullet Section Murat.* Grand-Bourg,
tél. : 05 90 97 75 24.

Pêche au gros

De tout temps, la Caraïbe a été réputée comme l'un des sanctuaires de la pêche au gros. Ce n'est bien évidemment pas un hasard si Ernest Hemingway y a situé quelques-unes de ses plus belles pages à ce sujet. Les espèces les plus prisées des *big game fishers* hantent encore aujourd'hui les côtes de la Guadeloupe et font la joie des sportifs les plus renommés dans cette spécialité.

Nombre de professionnels proposent à l'amateur chevronné comme au novice toutes les possibilités en matière de *big game*. Si nombre d'entre eux sont installés sur la Côte sous le Vent, afin d'être au plus près du sec réputé de Pointe-Noire, le développement des dispositifs de concentration de poisson a entraîné une multiplication des zones propices à la capture des belles pièces. Outre tous les poissons à rostre – marlin bleu, voilier et plus rarement, espadon –, on peut prendre, en mer des Caraïbes, tout l'éventail des poissons que l'on peut homologuer : wahoo, thon, bonite, daurade pendant la saison, voire requin.

À noter que les pêcheurs guadeloupéens, y compris les plaisanciers réunis au sein du Guadeloupe Marlin Club, pratiquent volontiers le *tag and release* pour les poissons à rostre.

Bouillante

■ *Le Rocher de Malendure.* Tél. : 05 90 98 70 84, mél. : lerocher@outremer.com. Journée de pêche sur Bertram. Hébergement possible.
■ *Ricart's Fishing Club.* Tél. : 05 90 98 73 77, mél. : ricarts@ais.gp. Sortie à la journée ou plus sur Sport Fish 32'. Hébergement possible.
■ *Le Billfish.* Tél. et fax : 05 90 98 82 80. Sortie quotidienne sur Top Gun 33'. Également excursion aux Saintes sur demande.

Saint-Barthélemy

■ *Marine Service.* Quai du Yacht-Club de Gustavia, tél. : 05 90 27 70 34, fax : 05 90 27 70 36. Pêche au gros, ski nautique, plongée et autres loisirs aquatiques.

Saint-Martin/Sint Maarten

■ *CSB.* Marina de Port-Royal, tél. : 05 90 87 89 38. Sortie à la journée sur Bertram et Boston Whaler.
Sint Maarten :
■ *Captain Lee.* Pelican Resort, tél. : 00 5 99 54 26 40.

Locations de bateaux

Mode, envie de grand large et défiscalisation aidant, la location de bateaux s'est considérablement développée ces dernières années. On peut louer en bare-boats – un skipper professionnel est responsable de la navigation – ou avec équipage (généralement un skipper, une hôtesse et un marin-mécanicien). En Guadeloupe, la flotte compte 240 unités en bare-boats et 20 dans la catégorie bateaux et équipages (chiffres de l'Association de loueurs de bateaux). La clientèle est essentiellement française ou européenne avec une percée nord-américaine à Saint-Martin. Tout est possible : du charter à la journée à la location de longue durée, du monocoque au catamaran – le plus demandé – équipé ou non de matériels annexes (ski nautique, scooter des mers, plongée).

Attention aux prix qui varient selon la haute ou la basse saison. Si l'on est amateur de bateaux à moteur, il existe également de grandes possibilités.

■ *Loch 2000.* BP 101, 78860 Saint-Nom-la-Bretèche, tél. : 01 34 62 00 00.
■ *Moorings.* 64, rue Jean-Jacques-Rousseau, 75001 Paris, tél. : 0800 80 30 30 (appel gratuit).
■ *Stardust Yacht Charters.* 2, rue d'Athènes, 75009 Paris, tél. : 01 55 07 15 15.

Pointe-à-Pitre

■ *Sun Evasion.* 83, résidence Marina les pieds dans l'eau, Pointe-à-Pitre, tél. : 05 90 90 83 90.

Le Gosier : la marina.

Voile

■ *Cap Sud.* 3, place Créole, Lagon bleu, tél. : 05 90 90 76 70, mél. : yachtcharter@capsud.net. Location avec et sans équipage. Quinze monocoques (6-12 personnes) et six catamarans (8-12 personnes).
■ *Moorings Guadeloupe.* Tél. : 05 90 90 81 81 ou 05 90 90 84 87. Location de voiliers sans équipage.
■ *Privilège Vacances.* Tél. : 05 90 90 71 89, fax : 05 90 90 73 93. Catamarans *Jeantot* (8-12 personnes). Location sans équipage. En option : planches à voile, matériel de plongée et de pêche.
■ *Corail Marine.* Tél. : 05 90 90 91 13, Internet : corail-caraibes.com.
■ *Dufour Antilles*, tél. : 05 90 90 74 08, Internet : dufour-antillescom.
■ *Tropical Yach-Service.* Tél. : 05 90 90 84 52, fax : 05 90 90 93 26 (correspondance avec Saint-Martin). Une douzaine de catamarans (6-10 personnes). Location de 2 jours au minimun avec ou sans équipage. En option : matériel de loisir nautique et avitaillement.
■ *Loch 2000 Antilles.* Tél. : 05 90 90 98 37, fax : 05 90 90 75 37. Une vingtaine de voiliers de 10 à 17 m avec ou sans équipage.

Moteur

■ *Karukera Marine.* Tél. : 05 90 90 97 49, fax : 05 90 90 90 96. Agent Bertram et Sea Ray et shipchandler. Location de bateaux (à la journée ou plus longtemps).
■ *Massif Marine.* Tél. : 05 90 90 98 40, fax : 05 90 90 77 06. Location de vedettes (6 personnes) sans équipage.

Saint-François

■ *Paradoxe Croisière*. La marina, tél. : 05 90 88 41 73, fax : 05 90 88 79 52. À la journée ou plus longtemps.
■ *Ti'boat*. La marina, tél. : 05 90 88 98 77.

Les Saintes

■ *Sea Lab*. Terre-de-Bas, tél. et fax : 05 90 99 51 00. Croisière à thèmes. Également croisières à la journée. Location avec équipage.

Saint-Martin

■ *Stardust Marine*. Anse Marcel, tél. : 05 90 87 45 66, fax : 05 90 87 40 31. Catamarans (6-10 personnes) et monocoques (4-10 personnes). Location de prestige, sans skipper.
■ *Stardust Nautor's Swan Charter*. Port Lonvilliers, tél. : 05 90 87 35 50.
■ *Centurion charter réunis*, Oyster Pond, tél. : 05 90 87 30 49.
■ *Privilège Vacances*. Marigot, tél. : 05 90 87 02 82, fax : 05 90 87 01 55. Croisières à la semaine (îles Vierges) sur le *Jeantot* (8-12 personnes). En option : matériel de pêche, plongée, planche et *boatphone*.

Croisières au long cours

■ *Croisières Costa*, tél. : 01 55 47 55 00. Internet : costacroisieres.fr.
■ *Cunard*. 24, rue Joseph-Sansbœuf, 75008 Paris, tél. : 01 42 93 81 82, fax : 01 42 93 71 06.
■ *Rivages Croisières*. Quai Gatine, Pointe-à-Pitre, tél. : 05 90 91 91 40. Internet : rivages-croisieres.fr

CIRCUITS TOURISTIQUES

Jardins et habitations

Les habitations – ces propriétés qui vivaient quasi en autarcie, il n'y a pas si longtemps – ouvrent leurs portes et les allées de leurs jardins luxuriants. Un style de vie – ce sont souvent les propriétaires qui font visiter – et des anecdoctes à ne pas rater.

■ *Pépinière Blonzac* et *Jardin d'eau*. Goyave, tél. : 05 90 95 59 37. Contact : Mme Berthelot. Visite libre de 9 h à 17 h, sauf lundi et mardi. Possibilité d'une « Journée au fil de l'eau » à partir de 9 h 30 avec visite et repas compris.
■ *Domaine de Valombreuse*. Cabout, Petit-Bourg, tél. : 05 90 95 50 50, fax : 05 90 95 50 90. Contact : Maguy et Henri Chaulet. Horaires : de 9 h à 17 h, tous les jours, même les jours fériés. Jardin, volière d'oiseaux locaux, beaucoup d'oiseaux en semi-liberté. Très belle collection de végétaux (300 espèces et 200 sous-espèces) et de graines de toutes sortes. Coin enfant (toboggan,

balançoire), restaurant, buvette et possibilité d'achat de fleurs coupées avec emballages spéciaux pour le voyage.
■ *Parc aux orchidées*. Trou Caverne, Gommier, Pointe-Noire, tél. : 05 90 98 02 85. Contact : M. Rancé. Visite uniquement le week-end à partir de 11 h, sur rendez-vous.
■ *Plantation Grand Café*. Bel-Air, Capesterre-Belle-Eau, tél. : 05 90 86 33 06, fax : 05 90 86 91 69. Contact : Gérard Babin. Visite d'une bananeraie en tracteur, avec dégustation de fruits et de jus. Ouvert du lundi au vendredi, de 9 h à 17 h. Possibilité d'une « Journée du planteur », qui combine deux visites : à Valombreuse et à Grand-Café.
■ *La Maison du Cacao*. Grande-Plaine, Pointe-Noire, tél. : 05 90 98 21 23. Contact : M. Pagésy. Le cacao dans tous ses états dans une ancienne plantation (on aperçoit en hauteur la maison de maître). Ouvert tous les jours, sauf les jours fériés, de 9 h à 17 h.
■ *L'Écloserie de Ouassous*. Chemin départemental 17 de Petite-Plaine, Pointe-Noire, tél. : 05 90 98 11 83. Visite le vendredi matin de 9 h à 10 h sur rendez-vous. Écloserie et pêche des écrevisses.
■ *La Manioquerie*. Rue des Fortifications-Prolongées, section batterie, Baillif, tél. : 05 90 81 23 52. Contact : Solon Regard. Tout sur la fabrication de la farine de manioc et de la cassave. Visite sur rendez-vous.
■ *Les Platines de Morne-Bourg*. Morne-Bourg, Petit-Bourg, tél. : 05 90 95 51 50. Contact : M. Copaver. Manioquerie. Visite le vendredi et le samedi, à partir de 15 h. Possibilité de visites guidées.
■ *Maison des Aînés*. Quartier de la Circonvallation, Basse-Terre, tél. : 05 90 81 13 73. Contact : M. Stattner. Intérieur créole à l'ancienne dans une maison typique au milieu d'un jardin botanique. Ce fut le logement du secrétaire général de la préfecture. Ouvert de 8 h à 13 h et de 14 h à 17 h, du lundi au jeudi. Ouvert le vendredi matin. Possibilité de visites guidées.
■ *La maison du Bois*. Les Plaines, Pointe-Noire. Contact : le parc national ; tél. : 05 90 98 17 09. Ouvert de 9 h 30 à 16 h 30, sauf le mardi et les jours fériés. Ce n'est pas vraiment une ancienne propriété, mais la visite complète assez bien les précédentes, avec ses exposés sur les bois et sur leurs qualités ainsi que sur le style créole en ameublement. À voir : les expositions temporaires dans le pavillon adjacent.

Sur la route des rhums

Les distilleries ouvrent volontiers leurs portes aux amateurs de belles colonnes à distiller. À condition de visiter sans déranger le travail en cours.

■ *Montebello*. Alain Marsolle, route de Basse-Terre, bifurcation à Carrère, Montebello, tél. : 05 90 95 41 65. Visite facultative.

■ *Bellevue*. Roger Damoiseau, Le Moule, tél. : 05 90 23 55 55. Visite gratuite. Dégustation et possibilité d'achat.

■ *Séverin*. Joseph Marsolle, La Boucan, Sainte-Rose, tél. : 05 90 28 91 86. Visite gratuite de la distillerie, dégustation et possibilité d'achat. En option : visite guidée en petit train de la propriété et des environs (bassins de ouassous).

■ *Distillerie Reimonenq*. Léopold Reimonenq, Sainte-Rose, tél. : 05 90 28 70 04. Visite gratuite de la distillerie. Possibilité de visiter le musée du rhum juste à côté, avec dégustation.

Marie-Galante

■ *Distillerie Poisson*. Famille Rameau, Grand-Bourg, tél. : 05 90 97 77 42. Visite et dégustation du lundi au samedi, de 7 h à 11 h.

■ *Domaine de Bellevue*. Famille Godefroy, Étang noir, Capesterre, tél. : 05 90 97 31 26.
Visite et dégustation de préférence le matin.

Circuit mangrove

La réserve du Grand Cul-de-Sac marin s'étend sur une surface forestière de 1 600 ha et sur 2 085 ha de mer. Elle protège un littoral très caractéristique : mangles, marais herbacés et forêt marécageuse peuplés d'oiseaux.

■ *Le Gros Morne*. Journée évasion créole (char à bœufs, promenades à cheval et en bateau) vers Port-Louis, tél. : 05 90 22 84 19.

■ *Balade en charrette à bœufs*. Auberge Le Relax, Bonne-Terre, Morne-à-l'Eau, tél. : 05 90 24 87 61, fax : 05 90 24 88 64. Le mercredi et le dimanche à partir de 9 h. Excursions originales en charrette et en barque dans les environs de Morne-à-l'Eau (mangrove, grotte caraïbe, ancien moulin, baignade à la pointe du Sable).

■ *La Saintoise*. Tél. : 05 90 24 69 25. Visite du Grand Cul-de-Sac marin et de la mangrove de Morne-à-l'Eau.

■ *Ginature*. Le Lamentin, tél. : 05 90 25 74 78. Visite commentée de 2 h avec déjeuner à l'îlet Caret tout proche.

■ *Le Balajo*. Les Abymes, tél. : 05 90 20 35 43.
Contact : M. Guichard. Des excursions réduites (18 personnes) sur une vedette à fond de verre.

Circuits insolites

Il existe toute une série de promenades hors des circuits habituels qui font apparaître autrement faits et gestes sous le soleil quotidien.

■ *Grotte de Man Coco*. Porte d'Enfer, Le Moule. L'endroit est fréquenté nuitamment par les quimboiseurs (sorciers) et laisse planer une ambiance très particulière. Bain de mer tout près.

■ *Temple hindouiste de Changy*. Entre Goyave et Capesterre-Belle-Eau. Une grande bâtisse blanche surmontée de dieux aux couleurs vives, dédiée à Mariemen. Témoignage de la vivacité du culte chez les Indiens de Guadeloupe, arrivé à la fin du siècle dernier.

■ *Sanctuaire de Notre-Dame-des-Larmes*. Les Plaines jusqu'au début de la trace des contrebandiers, à l'entrée de Pointe-Noire. Un lieu de culte retiré, au bord de la rivière. Le témoignage d'une ferveur spiritualiste omniprésente.

■ *Cimetière de Morne-à-l'Eau* ou de *Pointe-à-Pitre* avec, dans ce dernier, un détour du côté de la tombe du capitaine Bouscaren, dont la réputation outre-tombe pour délivrer des sorts n'est plus à faire. Mais cela ne marche qu'avec les souhaits bénéfiques !

Circuit montagne

Préparer sa randonnée
L'Office des eaux et forêts a réalisé un réel travail de documentation sous la forme d'expositions explicatives et de brochures détaillées (conseils et description des traces et chemins balisés).

■ *Maison du Volcan*. Les bains Jaunes, route de la Soufrière. Une exposition sur le volcanisme dans l'arc antillais et plus particulièrement lors de l'éruption de la Soufrière en 1976. Ouvert de 10 h à 18 h. Tél. : 05 90 80 33 43.

■ *Maison de la Forêt*. Route de la Traversée. Une exposition qui se complète par des sentiers botaniques (de 10 min à 1 h) et des carbets en pleine forêt. Un pont en bois enjambe la rivière. Tél. : 05 90 30 14 99.

■ *Parc zoologique et botanique*. Route de la Traversée, tél. : 05 90 98 83 52. Le parc domine la descente vers la côte sous le vent et la région de Bouillante-Pointe-Noire. Le zoo permet d'observer mangoustes, iguanes, tortues terrestres et racoons (le raton laveur, emblème du parc national). Restauration et buvette sur place. Ouvert tous les jours de 9 h à 16 h 50.

Partir
Un parc national de 18 000 ha, aucun animal dangereux, des sentiers, des rivières et des dénivellations variés : toutes les conditions sont réunies pour fournir aux amateurs de sport et de nature un panel de sensations inoubliables. Une journée pour être à l'écoute de la nature tropicale.

■ *Parfum d'aventure*. Saint-François, tél. : 05 90 88 47 62. Contact : Sylvain Tirefort. Le premier à s'être lancé dans le raid en Guadeloupe. Canoë-kayak, randonnée, 4 X 4, canyonning, orientation avec guides expérimentés.

■ *Le Raid caraïbe*. 20, rue Alsace-Lorraine à Pointe-à-Pitre et Touring Hôtel de Fort-Royal, tél. : 05 90 84 34 43.

■ *La Guadeloupe sur mesure*. Avenue de l'Europe, tél. : 05 90 85 54 08, fax : 05 90 88 51 75. Canyonning, 4 X 4.

Et aussi :
- *Association des Amis du parc national.*
Tél. : 05 90 80 05 53.
- *Club des montagnards.* Tél. : 05 90 82 88 16.

Autres sports nature

- *Parapente.* Benoît Janssen, tél. : 05 90 83 47 65.
- *ULM.* Horizon, tél. : 05 90 90 44 84.
- *VTT.* Espace VTT, tél. : 05 90 88 79 91.
- *Équitation.* La Manade, Saint-Phy, Saint-Claude.
Contact : Frédéric Petit, tél. : 05 90 81 52 21. Randonnée
à Saint-Claude, sur les contreforts de la Soufrière.
6 cavaliers au minimum et jamais plus de 10 personnes.
Réservation 48 h à l'avance.
- *Golf de Saint-François.* Le parcours, dessiné par Robert
Trent, est un 18-trous. On peut louer le matériel.
Compétitions internationales. Tél. : 05 90 88 41 87.

Sint Maarten :
- *Golf.* Mullet Bay Resort. Tél. : 00 5 99 55 28 01.
- *Tennis.* Mullet Bay. Tél. : 00 5 99 55 28 01.
- *Port de Plaisance.* Cole Bay. Tél. : 00 5 99 54 52 22.
- *Équitation.* Pelican Resort. Tél. : 00 5 99 54 26 40.

Circuits bains thermaux

L'eau est présente partout en Basse-Terre : cascades, rivières
et sources d'eau chaude et non loin, l'eau de mer aux
pouvoirs vivifiants. Le tourisme thermal commence tout juste
à démarrer. La thalassothérapie fait des débuts prometteurs.
- *Station thermale de Ravine-Chaude René Toribio.*
Le Lamentin, tél. : 05 90 25 75 92, fax : 05 90 25 76 28.
Eau naturellement tiède à 33 °C dans deux grandes piscines
à l'air libre au milieu d'une belle végétation. Massages,
hydrothérapie. Du simple bain après une randonnée au
séjour médicalisé. Ouvert de 10 h à 22 h tous les jours.
- *Centre thermal Harry-Hamousin.* Papaye, Matouba,
tél. : 05 90 80 53 53. Eaux sulfatées et calciques à 49 °C
à la source. Les thermes sont ouverts de 8 h à 14 h sauf
le samedi (jusqu'à 12 h).
- *Centre de thalassothérapie Manioukani :* marina de Rivière-
Sens, Gourbeyre, tél. : 05 90 99 02 02, fax : 05 90 81 65 23.
Direction : Dr Sainte-Luce. Cures paramédicales et de remise
en forme. Vue sur la mer et la marina de Rivière-Sens.

Circuit de nuit

Les Antillais ne sont pas très noctambules, sauf le vendredi
et le samedi. Casinos et surtout boîtes de nuit sont alors très
fréquentés.

Casinos
- *Casino du Gosier.* Pointe de la Verdure, Le Gosier,
tél. : 05 90 84 18 33. Ouvert à partir de 21 h tous les jours,
sauf le dimanche. Se munir d'une pièce d'identité. Blackjack,

roulette américaine, chemin de fer et machines
à sous. Bar et restaurant.
- *Casino de Saint-François.* Avenue de l'Europe,
tél. : 05 90 88 41 31. Ouvert à partir de 21 h, sauf le lundi.
Jeux, bars et restaurant.
Saint-Maarten.
- *Grand Casino.* Mullet Bay,
tél. : 00 5 99 55 28 01. Atlantis. Tél. : 00 5 99 55 46 00.
- *Mount Fortune Casino.* Tél. : 00 5 99 54 43 34.
- *Casino Royale.* Tél. : 00 5 99 55 26 02.

Boîtes de nuit
- *Le Caraïbe II.* Le Gosier, tél. : 05 90 90 97 16. Tous les
genres. Spectacles.
- *Le Shiva.* Le Moule, tél. : 05 90 23 53 59. Musique et
ambiance antillaises.

PROMENADES CULTURELLES

Influences amérindiennes, africaines, françaises, indiennes
et syro-libanaises ont miganné en un complexe mélange.
Musées, manifestations diverses et littérature racontent
cette spécificité réelle et profonde à laquelle tient tout
Guadeloupéen qui se respecte.

Guadeloupe

- *Musée municipal Saint-John-Perse.* 9, rue Nozière, Pointe-
à-Pitre, tél. : 05 90 90 01 92. Conservateur : Sylvie Tersen.
Situé dans l'ancienne maison Souques (nom de l'un des
directeurs de l'usine Darboussier). La volonté est double :
une exposition permanente sur la personnalité du Prix Nobel
de littérature guadeloupéen Saint-John Perse et l'ambiance
d'une maison de la fin du XIXᵉ siècle (costumes, photos,
meubles anciens). À l'étage, on peut consulter la petite
bibliothèque et regarder la vidéothèque. De plus, ce musée,
très dynamique, a toujours une exposition temporaire en
cours. Ouvert de 8 h 30 à 12 h 30 et de 14 h 30 à
17 h 30. Fermé samedi après-midi et dimanche.
- *Musée Schœlcher.* 24, rue Peynier, tél. : 05 90 82 08 04.
Conservateur : Henri Petitjean Roget. La rue garde encore
beaucoup de son charme du début du siècle. La bâtisse rose
présente les collections léguées par Victor Schœlcher,
signataire de l'abolition de l'esclavage en 1848. Beaucoup de
documents historiques sur l'esclavage. On peut également y
voir quelques-unes des œuvres des peintres contemporains
guadeloupéens. Ouvert de 8 h 30 à 12 h 30 et de 14 h à
17 h 30 tous les après-midi, sauf le mercredi et le
samedi. Fermé le dimanche.
- *Musée départemental de Fort Fleur-d'Épée.* Bas-du-Fort,
Le Gosier, tél. : 05 90 90 94 61. Une vue imprenable sur la
baie de Pointe-à-Pitre et Le Gosier. Les lieux ont été
âprement disputés aux Anglais durant le XVIIIᵉ siècle. Des

expositions artistiques contemporaines y sont fréquemment organisées dans les souterrains. Entrée libre. Fermé à 17 h.

■ *Musée archéologique départemental Edgard-Clerc.* La Rosette, Le Moule, tél. : 05 90 23 57 57. Conservateur : Henri Petitjean Roget. Une grande rétrospective du passé amérindien de la Guadeloupe autour de la collection du pionnier de la recherche en préhistoire guadeloupéenne, Edgard Clerc. Des pièces uniques. Ouvert de 9 h à 12 h et de 14 h à 17 h, tous les jours.

■ *Fort Delgrès.* À l'entrée de Basse-Terre, tél. : 05 90 81 37 48. Rattaché aux Archives départementales. Dans ces hauts murs, on retrouve la trace mouvementée des faits d'armes de la Guadeloupe coloniale et révolutionnaire, du tombeau du général Richepanse au souvenir de Delgrés, patriote mort à Matouba. À visiter pour l'ambiance.

■ *Parc archéologique des Roches gravées de Trois-Rivières.* Sur la route de l'embarcadère des Saintes, tél. : 05 90 92 91 88. Conservateur : Henri Petitjean Roget. Un ancien sanctuaire arawak où sont rassemblées plusieurs roches gravées et toute une collection botanique. Guide sur demande. Ouvert de 8 h 30 à 16 h 45.

■ *Musée du Rhum.* À l'entrée du bourg de Sainte-Rose, tél. : 05 90 28 70 04. Un sympathique musée privé, tenu par Léopold Reimonenq et sa famille, où sont rassemblés objets usuels et émouvants ainsi qu'ustensiles, documents et photos liés à la culture de la canne. À voir absolument : une étonnante collection d'insectes. Dégustation de rhum à la fin de la visite. Ouvert la semaine de 9 h à 17 h et le dimanche, de 9 h à 13 h.

■ *Centre de broderie.* Fort L'Olive, Vieux-Fort, tél. : 05 90 92 04 14. L'art du jour échelle et conservation d'un savoir-faire populaire et précieux. Situé dans des anciennes fortifications du XVIIIᵉ siècle. On rencontre les brodeuses qui expliquent volontiers leur travail. Visite de 9 h à 18 h, tous les jours, y compris le dimanche. Vue superbe sur les Saintes.

Dans l'archipel

■ *Écomusée de Marie-Galante.* Situé dans une ancienne habitation, le château Murat, tél. : 05 90 97 24 64. Conservateur : M. Monbrun. Traditions et histoire, autour de la culture de la canne à sucre à Marie-Galante. Ouvert de 7 h 30 à 12 h 30 et de 14 h 30 à 17 h 30 ainsi que le samedi et le dimanche matin. Fermé le mercredi.

■ *Fort Napoléon aux Saintes.* Située dans l'ancien fort qui domine le canal des Saintes et la côte de Vieux-Fort-Trois-Rivières, la belle bâtisse abrite un petit musée d'art populaire. Ses jardins, parrainés par le Jardin exotique de Monaco, présentent une très belle collection de cactus. Ouvert uniquement le matin, de 9 h à 12 h 30.

■ *Musée municipal de Saint-Barthélemy.* Vers la pointe de Gustavia, tél. : 05 90 27 89 07. Un joli parcours dans l'histoire populaire de Saint-Barthélemy. Présentation de la faune et de la flore. Ouvert de 8 h 30 à 11 h 30 et de 15 h à 17 h 30. Fermé le samedi et le dimanche.

■ *Inter Ocean Museum.* À Corossol, un ancien pêcheur, M. Ingénu Magras, a constitué la seconde collection privée au monde de coquillages. Tél. : 05 90 27 62 97. Ouvert de 8 h à 12 h et de 13 h 30 à 17 h du mardi au dimanche.

Et aussi :

■ *Centre Remy-Nainsouta.* Tél. : 05 90 89 65 21. Expositions, causeries et conférences.

■ *Centre des Arts et de la Culture.* Tél. : 05 90 82 79 78, fax : 05 90 91 76 45. Directeur : Louis Garel. Trois salles de spectacles et trois salles d'exposition. Édition d'un programme trimestriel.

Galeries et librairies

■ *Galeries d'art.* Christian Maas, 33 *bis*, rue Henri-IV (Jean-Jaurès) à Pointe-à-Pitre. Peintres locaux. *À la recherche du passé.* Laurent Chassaniol, la marina. Tout ce qui touche à la marine et aux îles.

■ *Librairie générale Jasor.* Rue Schœlcher, Pointe-à-Pitre.

■ *Librairie antillaise.* En face de la précédente, Pointe-à-Pitre.

■ *Boutique de la presse.* Entrée de la marina de Pointe-à-Pitre.

Pour se tenir au courant

Presse écrite. Le quotidien *France-Antilles,* tél. : 05 90 90 25 25 et l'hebdomadaire *Sept-Mag,* tél. : 05 90 26 69 59.

Presse télévisée. RFO, tél. : 05 90 93 96 96.

Presse-radio. RFO et RCI (Radio caraïbe internationale), tél. : 05 90 83 96 96.

PETITE BIBLIOGRAPHIE

Îles, Vivre entre ciel et mer, Nathan/Muséum national d'Histoire naturelle, 1997.

Écrivains guadeloupéens et écrits se passant en Guadeloupe

Maryse CONDÉ, *la Migration des cœurs,* Robert Laffont, 1995.
Maryse CONDÉ, *la Vie scélérate,* Seghers, 1987.
MAXIMIN, *L'île est une nuit,* Le Seuil, 1995.
Ernest PÉPIN, *Coulée d'or,* Gallimard, coll. « Page blanche », 1995.
Gisèle PINEAU, *l'Espérance-macadam,* Stock, 1995.
Gisèle PINEAU et Marie ABRAHAM, *Femmes des Antilles, Traces et voix,* Stock, 1998.
Simone SCHWARZ-BART, *Pluie et vent sur Télumée Miracle,* Le Seuil, 1995.
Guy TIROLIEN, *Balles d'or et Feuilles vivantes au matin,* Éditions Présence africaine, 1995.

Écrivains antillais

Patrick CHAMOISEAU, *Antan d'enfance*, Gallimard, coll. « Haute Enfance », 1993.

Patrick CHAMOISEAU et Raphaël CONFIANT, *Lettres créoles : Tracées antillaises et continentales de la littérature, 1635-1975*, Hatier, 1991.

Raphaël CONFIANT, *le Nègre et l'Amiral*, le Livre de poche, 1993.

Documents historiques

Un flibustier français dans la mer des Antilles en 1618-1620, manuscrit inédit publié par J.-P. Moreau, Éditions J.-P. Moreau.

Voyage aux Isles, le père Labat relu par Lebris, Édition Phébus, 1993.

Aventuriers et boucaniers d'Amérique. Alexandre Oexmelin, chirurgien de la flibuste de 1666 à 1672, Éditions Sylvie Messinger.

Us et coutumes

Frantz FANON, *Peau noire, masque blanc*, Point Poche.

Antilles, Espoirs et déchirements de l'âme créole, collection Autrement, série « Monde ».

Guadeloupe, 1875-1914. Les soubresauts d'une société pluri-ethnique ou les ambiguïtés de l'assimilation, collection Autrement, série « Mémoires ».

Pratique

Gérard BERRY et Bruno PAMBOUR, *les Plus Belles Balades à la Guadeloupe*, les Créations du Pélican.

J.-P. VERNOUX, M. et P. MAGRAS, *Poissons coralliens des Antilles*, Éditions du Latanier.

Cuisine

Dr NÈGRE, *Antilles et Guyane à travers leur cuisine*, Éditions caribéennes.

Librairie spécialisée en métropole

Librairie Ménaibuc. 75, rue de Strasbourg 94300 Vincennes, tél. : 01 43 65 21 22,

CALENDRIERS DES MANIFESTATIONS ET DES ÉVÉNEMENTS

L'amour de la fête et l'envie de s'amuser font que le Guadeloupéen ne rate jamais une occasion de célébrer un événement. On se déplace et on se rend facilement visite entre communes. Outre les fêtes carillonnées, il existe une foule de raisons pour aller danser et écouter de la musique.

Janvier

1er : Saint-Sylvestre et bains démarrés (pour se laver de l'année précédente). On met des pépins dans son porte-monnaie pour être riche. Jour férié.

Premier week-end de l'année : début du carnaval avec défilés de groupes le dimanche. *Ti-mass* à l'entrée des communes.

Première quinzaine : festival de la musique à Saint-Barthélemy – classique, jazz et danse. Cette manifestation, de très bon niveau, attire les artistes internationaux.

Février

Les jours gras :

Dimanche et lundi. Défilés dans les communes et élection des rois et reines du carnaval. Messe des marchandes du marché de Basse-Terre et défilé dans les rues.

Mardi gras. Grand défilé des groupes de carnaval à Pointe-à-Pitre et à Basse-Terre, bals titanes le soir. Mardi et mercredi sont fériés.

Mercredi des Cendres. *Vidé* en pijama à 6 h du matin et défilé en noir et blanc. Le soir, on brûle Vaval. Bals costumés le soir.

Mars

Jeudi de la mi-carême. Défilés en rouge et noir (diables et diablesses). Jour férié.

Vendredi saint. Chemin de croix et passage au cinéma des *Dix Commandements* de Cecil B. de Mille. À cette occasion, des cars entiers débarquent leurs passagers pour les séances spéciales. Dimanche et lundi de Pâques.

Pique-niques sur la plage et dégustation de crabes et de calalous. Jours fériés. Début de la saison de la coupe de la canne.

Mai

1er : fête du Travail et défilés (jour chômé). Fête des Maraîchers à Matouba (messe et offrandes). Fête patronale de Petit-Canal et Vieux-Habitants.

8 : anniversaire de l'armistice de 1945. Dépôt de gerbes aux monuments aux morts. Jour férié.

Pentecôte. Jour férié.

27 mai : commémoration de l'abolition de l'esclavage.

Juin

24 : fête de Baie-Mahault et du Moule.

Juillet

14 : fête nationale. Bals communaux. Jour férié.

21 : Saint-Victor. Célébration de la mort de Victor Shœlcher, signataire de l'abolition de l'esclavage.

Août

Début du tour cycliste de la Guadeloupe (du 1er au 15). Fête des Cuisinières (à la Saint-Laurent). Messe à Saint-Pierre-et-Saint-Paul et défilé dans les rues de Pointe-à-Pitre en grande pompe. Dégustation de plats.

15 : fête de l'Assomption. Jour férié.

15 et 16 : fête des Saintes. Processions, messe, bénédiction de la mer et des bateaux, régates, bals.

15 : Petea Day à Saint-Barthélemy. Commémoration du jumelage avec Petea en Suède, une façon de se souvenir de la présence suédoise dans l'île pendant deux siècles.

24 : fête de Saint-Barthélemy. Messe et bénédiction de la mer. Bals.

Novembre

1er : Toussaint. Jour férié.

2 : jour des Morts. Illumination des cimetières et de l'entrée des maisons (autant d'âmes disparues, autant de bougies). Jour férié. Début de la saison des combats de coqs.

22 : Sainte-Cécile, patronne des musiciens. Manifestations dans les communes.

Décembre

25 : Noël. Jour férié.

28 : Messe des Saints-Innocents. On emmène les petits enfants et leurs jouets neufs à la messe traditionnelle où ils sont bénis.

SOUVENIRS DES ÎLES

On trouve, tout au long de ses pérégrinations, des quantités de souvenirs odorants ou colorés à rapporter dans ses bagages. Un tour au marché, complété parfois par le lolo ou la grande surface du coin, permet de faire le plein de cadeaux ensoleillés. Au marché de Saint-Jules (derrière le centre Remy-Nainsouta), il est bien agréable de choisir parmi les petits sacs de manioc, cannelle enroulée, anis étoilé, graines de moutarde et poudre à colombo. Les marchandes expliquent bien volontiers le mode d'emploi de toutes ces épices. En revanche, il faut se méfier des brins de vanille (trop noirs et gonflés, ils sont gorgés de café) dont bien peu sont plantés en Guadeloupe. Sur les marchés, on trouve également de confortables paniers de la Dominique, l'île voisine, et des chapeaux de même provenance, ainsi que d'amusants petits balais en latanier. Dans les grandes surfaces, on peut choisir parmi les multiples sauces (pimentade, sauce-chien, sauce créole) propres à réchauffer les menus métropolitains. On emportera peut-être des pâtes massalé indiennes pour parfumer viandes et poissons. C'est là que l'on trouve également un bon choix de tous les rhums guadeloupéens : rhum blanc, rhum vieux (au moins douze ans d'âge), punch prêt à déguster (coco, maracuja) et schrub que l'on sert à Noël.

Pour les amateurs de poissons fumés, l'espadon ou le tazar, dans leur enveloppe sous vide, voyagent parfaitement. Une confiture de patate douce (ou citron et gingembre, banane ou ananas) est un cadeau apprécié, tout comme le sont les nombreuses sucreries : pâtes de goyave, d'ananas et de papaye, chadec (pamplemousse confit), suc à noix et doucelettes au coco. Sans compter pipirits à l'anis, surettes et pommes-cajous confites.

Sous le signe des parfums, un certain nombre de savonneries locales fabriquent des savons aux odeurs délicates : cannelle-avocat, vanille-carapate. On peut emporter les odeurs mais aussi les fleurs (héliconias, fleurs z'oiseaux, alpinias, roses porcelaine) qui résistent bien au voyage dans leurs emballages spéciaux.

En se promenant dans les bourgs, on trouve dans les magasins robes golles en dentelles blanches et robes « à corps » en tissus naïfs. Le madras est fabriqué à l'extérieur, mais à destination exclusive des Antilles. On en fait des sets de table, des nappes et des napperons.

C'est dans les boutiques de souvenirs que l'on trouve les couis (moitiés de calebasses travaillées) gravés par les rastas, en forme de macoutes (sortes de sacs où l'on passe une ficelle), les bijoux en perles de lambis polies ou en graines de job grises mêlées de coquillages. La poupée traditionnelle créole a évolué : on en fabrique habillées de feuilles de bananier artistiquement déployées, véritables objets de collection.

Plus précieux sont les vrais bijoux créoles que l'on ne trouve que chez l'artisan, gardien d'une imagination et d'une tradition anciennes où l'or tient la première place. Broches en pomme-cannelle, chaînes forçats, anneaux créoles en faisceaux de canne à sucre, barillets de collier sont non seulement de très beaux souvenirs mais aussi les témoignages d'un art ancien et authentique, appelé comme tout autre à disparaître. L'art du joaillier rejoint celui des patientes brodeuses de Vieux-Fort qui transforment le lin et le coton en nappes, draps, napperons et chemisiers brodés aux points « tranches » « d'orange » ou « de Saint-Martin ».

L'archipel n'est pas en reste : salakos (chapeaux des pêcheurs saintois) et maquettes des Saintes, fins panamas en tresses de latanier de Corossol à Saint-Barthélemy, sculptures de Marie-Galante, chaque île a son artisanat.

LEXIQUE

Il est impossible d'apprendre en une semaine le créole, langue régionale complexe, drôle et imagée. On peut tout de même relever de-ci de-là quelques expressions courantes, amusantes et bien utiles dans la compréhension des us et coutumes locales.

A pli ta : à plus tard.

Adan on dot'soley : à demain.

An tan lontan : jadis.

Bakan-nal : immense fête.

Bal titane : bal carnavalesque.

Beké : terme martiniquais désignant un Blanc installé aux îles depuis plusieurs générations. En Guadeloupe, on dit un « Blanc créole » ou un « Blanc-pays ».

Bon zig : bon copain (aussi *sendika, bon moune en nou*).

Boufi, En boufi évé : j'en ai marre.

Caye : récif.

Chabin : Antillais à la peau et aux yeux clairs.

Dalo : caniveau.

Déposé moin ! : laissez-moi tranquille !

En mélé con cend'et farine France : je suis bien embêté (essayer de séparer la cendre et la farine !).

Faire des basses : flirter.

Fé manèv ! : fais vite !

Fouyaya : curieux.

Gréné con sirel : ivre (les surelles sont remplies de petits noyaux).

Habitation : une habitation sucrière est une propriété dans son ensemble.

Jadin bo'case : un jardin attenant à la maison où on trouve les légumes de première nécessité (cives, thym, racines, fruits à pain, mangues).

Kolantèn : collant.

La vi, cé on famn fol : la vie est imprévisible, comme une femme folle.

Morne : colline.

Pa mangné moin : ne me touchez pas.

Pa ni : il n'y en a pas.

Poupoulé manzelle-là : serrer de près une demoiselle.

Quimbé réd pa moli : tenir bon.

Rara la semaine sainte : bavard (pendant la Semaine sainte, on annonçait les processions avec un rara, petit instrument que l'on faisait tourner sans discontinuer).

Ti bo : un baiser (aussi « faire un ba », pour les enfants).

Ti bobi : sieste.

Ti kamo : nouvelle fraîche.

Ti koka : personne de petite taille (comme une petite bouteille de Coca-Cola).

Ti moune : enfant.

Ti tak : un petit peu plus.

Toufé yen yen : une fête où l'on est tellement serré que même les *yen yen* (moustiques) ne peuvent passer. On dit aussi un *zouk*, un *blow*.

Vié cor : vieille personne.

Lexique culinaire

Accra : beignet pimenté, à base de morue.

Bébélé : plat marie-galantais à base de tripes et de légumes pays coupés en petits morceaux.

Blaff : sauce claire pour poissons ou crustacés, très parfumée et relevée.

Bokit : galette frite que l'on garnit avec du poulet, de la morue ou du jambon.

Calalou : potage d'herbes avec du lard que l'on sert volontiers accompagné de crabe.

Cassave : galette à base de farine de manioc fourrée ou non de confiture de coco.

Chatou : poulpe.

Chiquetaille de morue : morue cuite à la flamme et séparée en petits bouts qui accompagne le féroce d'avocat.

Colombo : plat indien à base de poudre à colombo (mélange de curry, coriandre, cumin et autres épices) d'une belle couleur verte.

Court-bouillon : sauce bien épicée de poissons (beurre rouge ou tomates, cives, piments).

Dombrés : petites boules de farine qui accompagnent de nombreux plats comme les ouassous.

Frozen : glace à l'eau sur un bâton.

Marinade : beignet à base de légumes (giromon et fruit à pain) très relevé.

Migan : plat mitonné. Migan de fruit à pain au jambon.

Pâté : petit pâté rond en pâte feuilletée fourré de viande ou de crabe.

Pistache : cacahouète.

Poyos : type de bananes que l'on consomme vertes, comme légumes d'accompagnement.

Rougaille : mangue verte marinée dans de l'ail, du piment et des cives.

Snow Ball : glace pilée, parfum au choix.

Tourment d'amour : pâtisserie saintoise fourrée à la confiture de coco.

PRINCIPAUX CODES POSTAUX

Grande-Terre et Basse-Terre

Pointe-à-Pitre	97110
Anse-Bertrand	97121
Baillif	97123
Baie-Mahault	97122
Basse-Terre	97100
Bouillante	97125
Capesterre-Belle-Eau	97130
Deshaies	97126
Le Gosier	97190
Goyave	97128
Lamentin	97129
Le Moule	97160
Petit-Bourg	97170
Pointe-Noire	97116
Saint-Claude	97120
Saint-François	97118
Sainte-Anne	97180
Sainte-Rose	97115
Trois-Rivières	97114
Vieux-Fort	97141
Vieux-Habitants	97119

Les Saintes
Terre-de-Haut	97137
Terre-de-Bas	97136

Marie-Galante
Grand-Bourg	97112
Capesterre	97140
Saint-Louis	97134

La Désirade	97127
Saint-Martin	97150

NUMÉROS UTILES

Téléphoner

Pour téléphoner de la métropole vers la Guadeloupe, l'indicatif départemental de la Guadeloupe est le 05 90 suivi du numéro à 6 chiffres. On notera que, sur place, on se contente de faire les 6 derniers chiffres, y compris lorsqu'on téléphone vers les « dépendances » (Marie-Galante, La Désirade, les Saintes, Saint-Barthélemy et Saint-Martin).
Pour téléphoner à Sint Maarten (partie hollandaise de Saint-Martin), composer le 00 (international), suivi de l'indicatif 5 99, puis le numéro à 6 chiffres. De Sint Maarten vers Saint-Martin ou la Guadeloupe, composer le 00 5 90 puis le numéro à 6 chiffres.
Pour appeler la métropole depuis la Guadeloupe, composer le numéro du correspondant précédé de l'indicatif du département conformément à la numérotation à 10 chiffres.

Service d'urgences
■ *Samu.* Tél. : 05 90 91 39 39.
■ *Centre antipoison.* Tél. : 05 90 91 39 39 ; aux Abymes, tél. : 05 90 89 11 00.
■ *CHRU de Pointe-à-Pitre.* Tél. : 05 90 89 10 10 ou 05 90 89 10 79.
■ *Centre hospitalier général de Basse-Terre,* Tél. : 05 90 80 54 00.
■ *Association des médecins de garde.* Tél. : 05 90 90 13 13.
■ *Pompiers.* Tél. : 05 90 82 00 28 ou le 18.
■ *Police.* Tél. : 05 90 82 13 17 ou le 17.
■ *Gendarmerie nationale.* Tél. : 05 90 80 02 10 ; surveillance côtière, tél. : 05 90 82 52 60.
■ *DDCILEC* (Direction départementale du contrôle de l'immigration et de lutte contre l'emploi des clandestins). Tél. : 05 90 21 13 81.
■ *Sauvetage en mer.* Tél. : 05 90 82 91 08 ou 05 90 71 92 92.
■ *Services vétérinaires.* Tél. : 05 90 82 06 60.

Sint Maarten
■ *Office des Postes.* Tél. : 05 99 52 29 47 et 05 99 52 22 89.
■ *Police.* Tél. : 05 99 52 22 22.
■ *Hôpital.* Tél. : 05 99 52 23 00 et 05 99 53 01 22.

Offices de tourisme
■ *Office du tourisme de Pointe-à-Pitre.* 5, square de la Banque, tél. : 05 90 82 09 30, fax : 05 90 83 89 22.
■ *Office du tourisme de Basse-Terre.* Maison du Port, cours Nolivos, tél. : 05 90 81 24 83, fax : 05 90 81 99 34. Par Minitel : code 3615 GUADE.
■ *Office du tourisme de la Guadeloupe en région parisienne.* 43, rue des Tilleuls, 92100 Boulogne, tél. : 01 46 04 00 88, fax : 01 46 04 74 03.
■ *Office du tourisme de Saint-François.* Tél. : 05 90 88 48 74.
■ *Office du tourisme de Saint-Barthélemy.* Tél. : 05 90 27 87 27.
■ *Délégation régionale du tourisme.* 5, rue Victor-Hugues, Basse-Terre, tél. : 05 90 81 10 44, fax : 05 90 81 94 82.
■ *Office du tourisme de Saint-Martin* (partie néerlandaise). Tél. : 05 99 52 23 37.

Syndicats d'initiative
■ *Saint-Claude.* Tél. : 05 90 80 18 93.
■ *Trois-Rivières.* Tél. : 05 90 92 77 01.

- *Bouillante*. Tél. : 05 90 98 73 48.
- *Sainte-Anne*. Tél. : 05 90 88 09 49.
- *Le Gosier*. Tél. : 05 90 84 28 25.
- *Marina de Pointe-à-Pitre*. Tél. : 05 90 90 70 02.
- *Marie-Galante*. Tél. : 05 90 97 81 97.
- *Saint-Martin*. Tél. : 05 90 87 60 00.
- *La Désirade*. Tél. : 05 90 20 01 76.

- *Association des professionnels de l'hôtellerie et du tourisme*. Tél. : 05 90 84 45 66, fax : 05 90 84 15 74.
- *Gîtes de France* en Guadeloupe. Tél. : 05 90 91 64 33, fax : 05 90 91 45 40.
Réservations en France à la *Maison des Gîtes de France*. Tél. : 01 49 70 75 75, fax : 01 49 70 75 76 et par Minitel : 3615 GIT GUASLA.
- *Gîtes du Racoon*. Association de gîtes avec le concours du parc national qui donne la liste des hébergements mais ne s'occupe pas des réservations.
- *AVMT*. Pointe-à-Pitre, tél. : 05 90 82 02 62, fax : 05 90 82 56 65. Association de villas de tourisme.

Transports

- *Aéroport de Pointe-à-Pitre*. Tél. : 05 90 21 14 72 et 05 90 21 14 00 (renseignements).
- *Aérodrome de La Désirade*. Tél. : 05 90 20 03 50.
- *Aérodrome de Marie-Galante « Les Basses »*. Tél. : 05 90 97 90 25.
- *Aérodrome des Saintes*. Terre-de-Haut, tél. : 05 90 99 51 23.
- *Aérodrome de Saint-Barthélemy*. Tél. : 05 90 27 65 41.
- *Aérodrome de Saint-Martin « L'Espérance »*. Tél. : 05 90 87 53 03.
- *Mouvements d'avions*. Répondeur départs, tél. : 05 90 90 34 34 ; arrivées, tél. : 05 90 90 32 32.
- *Douane*. Tél. : 05 90 82 00 47.
- *Port autonome*. Tél. : 05 90 91 63 13.
- *Capitainerie de la marina de Pointe-à-Pitre*. Tél. : 05 90 90 84 85.
- *Capitainerie de la marina de Saint-François*. Tél. : 05 90 88 47 28.
- *Capitainerie de la marina de Rivière-Sens*. Tél. : 05 90 81 77 61.

Météo

- *Météo* : 08 36 68 97 10.

Parc national

- *Parc national de la Guadeloupe*. Habitation Beausoleil, Montéran, BP 13 Saint-Claude, tél. : 05 90 80 24 25, fax : 05 90 80 05 46. Fermé le vendredi après-midi.
- *Secteur de la Soufrière*. Tél. : 05 90 99 03 15.

- *Secteur de la Traversée*. Tél. : 05 90 98 10 28.
- *Réserve marine du Grand Cul-de-Sac*. 43, rue Jean-Jaurès, Baie-Mahault, tél. : 05 90 26 10 58.
- *Maison de la Forêt*. Habitation Beausoleil, Montéran, BP 13 Saint-Claude, tél. : 05 90 30 14 99.
- *Maison du Volcan*. Habitation Beausoleil, Montéran, BP 13 Saint-Claude, tél. : 05 90 80 33 43.
- *Maison du Bois*. Chemin départemental 17, chemin Petite-Plaine, Pointe-Noire, tél. : 05 90 98 17 09.
- *Bureau des guides accompagnateurs en moyenne montagne*. Randonnées en montagne et VTT, tél. : 05 90 81 24 83.

- *Programme des cinémas*. Tél. : 05 90 82 20 20.

En métropole

- *Ministère des départements et territoires d'outre-mer*. 27, rue Oudinot, 75007 Paris, tél. : 01 47 83 01 23.
- *Association Couleur d'outre-mer*. 44, rue de Montreuil, 94300 Vincennes, tél. : 01 43 98 10 25.

Restaurants-boîtes
- *La Rhumerie*. 166, boulevard Saint-Germain, 75006 Paris, tél. : 01 43 54 28 94.
- *La Canne à sucre*. 4, rue Sainte-Beuve, 75006 Paris, tél. : 01 42 22 23 25.
- *Chez Félix*. 23, rue Mouffetard, 75005 Paris, tél. : 01 47 07 68 78.

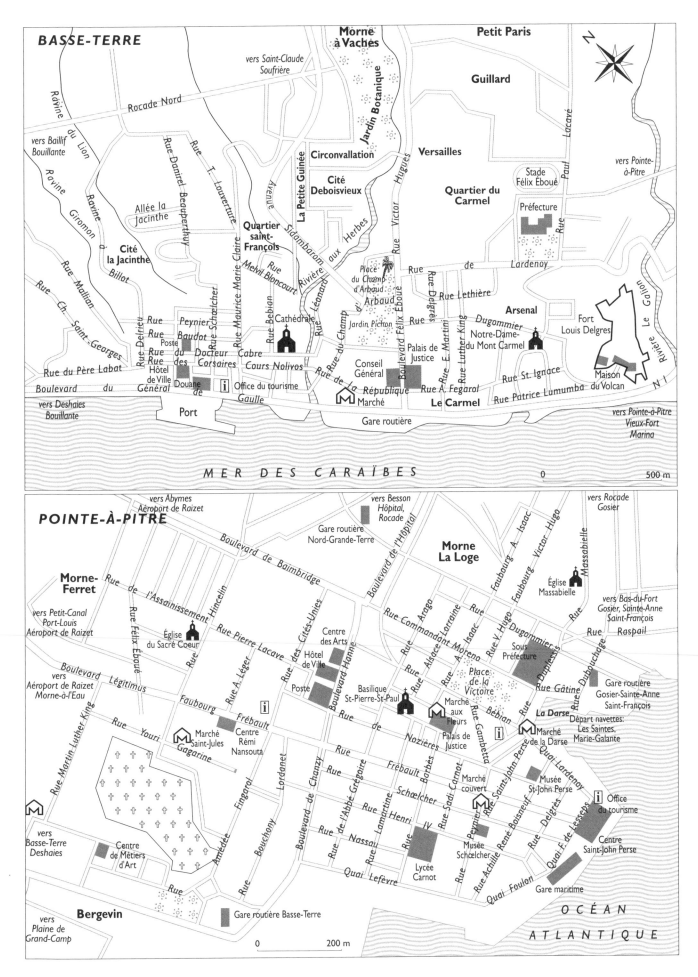

I N D E X
TOPONYMIQUE

Les mentions de folios en caractères *italique* renvoient au guide pratique.

ORIGINE DES PHOTOGRAPHIES

Les photographies sont de Philippe Beuzen, Îles Images,
et

Archives Bruno Pédurand : p. 99 ; Archives départementales de la Guadeloupe, A. Delpuech : p. 56 hg, 57 ; Archives Joël Nankin : p. 98 ; Archives Musée départemental de la Guadeloupe : p. 136 b ; Archives Nathan : p. 63 h, 64 hg ; Archives Nathan/BN : p. 64 bg, 64-65, 69 d, 74 ; Archives Nathan/BN Portrait de Saint-John Perse par André Marchand © ADAGP, Paris 1998 : p. 94 b ; Archives Nathan/H. Roger Viollet Collection Viollet : p. 47, 83 b ; Archives Nathan/Lauros-Giraudon (Musée Carnavalet) : p. 68-69 ; Archives Nathan/Roger-Viollet Harlingue Viollet : p. 94 h, 120 h ; Archives Nathan/Roger-Viollet Lipnitzki-Viollet : p. 95 hg et fond ; Bibliothèque centrale/M.N.H.N. : p. 90, 50 mh, 112 h, 114 h g, 115 ; DR : p. 95 h d ; HOAQUI/I. & V. Krafft : p. 111 ; JACANA/Anthony Boccaletti : p. 19 centre ; JACANA/Jacques Brun : p. 120 b ; JACANA/Brunet : p. 50 hd ; JACANA/Sylvain Cordier : p. 19 bg, 36 bd ; JACANA/R. Hansen/PHR : p. 51 md ; JACANA/Rudolf Konig : p. 50 centre ; JACANA/Werner Layer : p. 51 g ; JACANA/G. Lorenz/PHR : p. 19 bd ; JACANA/Claude Nardin : p. 50 hg ; JACANA/Eric A. Soder : p. 36 centre et bg ; JACANA/Laurent Tangre : p. 51 b ; JACANA/Tom Walker : p. 51 centre ; John Foley Iopale (Éditions Robert Laffont) : p. 95 b ; PHOTONONSTOP/Merle : couverture ; Lionel Pozzoli : 4e de couverture b, et p. 160 à 175 ; RMN : p. 54-55 ; Service historique de la Marine-Vincennes : p. 58, 59, 60-61, 62 b, 63 b, 67 h et b, 78, 80, 85 b ; Ulf Andersen/Gamma (Éditions du Seuil) : p. 96 h.

Léocadie, de R. Chapelain Midy, p. 96 : © ADAGP, Paris, 1999.

Ouvrage réalisé avec la collaboration de
Philippe Bouysse (encadré volcan, pages 110-111),
Catherine Debedde (guide pratique).

Cartes réalisées par Graffito
Coupes et plans pages 110-111 : Noël Blotti

Conception graphique et réalisation PAO :
Michel Durand et Isy Ochoa

Les itinéraires, les adresses et les conseils contenus dans ce guide, établis fin 1998 et entièrement révisés et mis à jour en juin 2002, sont ceux des auteurs. Il s'agit d'une sélection « coup de cœur » destinée à faciliter la préparation et la réalisation de votre voyage. Tout choix implique des oublis, volontaires ou involontaires. En outre, le monde change, aussi n'hésitez pas à nous faire part de vos expériences. Nous ne manquerons pas de les transmettre aux auteurs.

Éditions Nathan
collection Îles
9, rue Méchain
75676 PARIS CEDEX 14
FRANCE

ISBN : 2.09.261027-9
N° d'éditeur : 10092031 – (I) – (5) – CSBBT 135
Dépôt légal : septembre 2002
Imprimé en Italie par G. Canale & C. S.p.A. – Borgaro T. se – Turin

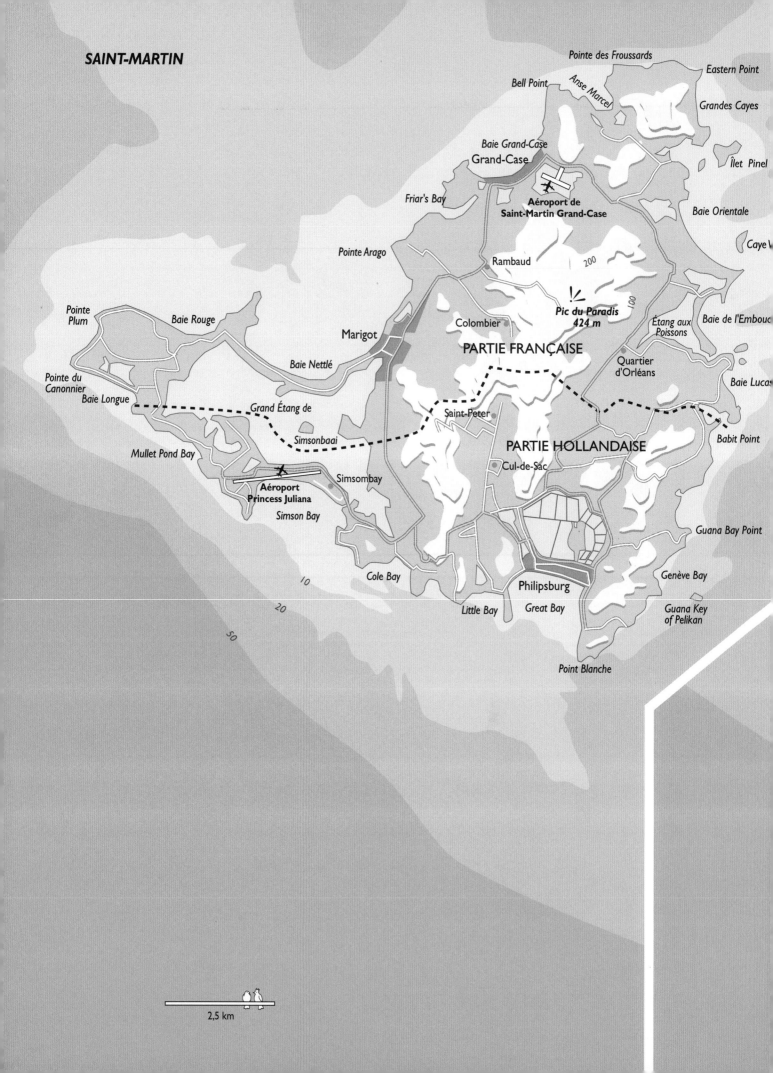